岩波文庫
32-552-1

地獄の季節

ランボオ作
小林秀雄訳

岩波書店

J. N. A. Rimbaud

UNE SAISON EN ENFER.

LES ILLUMINATIONS.

目　次

地獄の季節

飾　画

地獄の季節

＊
＊＊

かつては、もし俺《おれ》の記憶が確かならば、俺の生活は宴《うたげ》であった、誰の心も開き、酒という酒はことごとく流れ出た宴《うたげ》であった。

ある夜、俺は『美』を膝の上に坐らせた。——苦々しい奴《やつ》だと思った。——俺は思いっきり毒づいてやった。

俺は正義に対して武装した。

俺は逃げた。ああ、魔女よ、悲惨よ、憎しみよ、俺の宝が託されたのは貴様《きさま》らだ。

俺はとうとう人間の望みという望みを、俺の精神の裡《うち》に、悶絶《もんぜつ》させてしまったのだ。あらゆる歓《よろこ》びを絞殺するために、その上で猛獣のように情け容赦もなく躍り上ったのだ。

俺は死刑執行人らを呼び、絶え入ろうとして、奴らの銃の台尻に咬《か》みついた。連枷《れんか》を呼び、血と砂とに塗《まみ》れて窒息した。不幸は俺の神であった。泥の中に寝そべり、罪の風に喉は涸《か》れ、しかも俺が演じたものは底抜けの御座興だった。

こうして春はむごたらしい痴呆《ちほう》の笑いをもたらした。

ところが、ついこの間の事だ。いよいよ最後のへゝまも仕出かそうとなった時、俺は昔の宴《うたげ》の鍵はと思い迷った。存外また食気《くいけ》が起らぬものでもあるまい、と。

慈愛はその鍵だ。——こんな考えが閃《ひらめ》いたところをみれば、俺はたしかに夢を見ていたのだ。

「お前はやっぱり鬣狗《ハイエナ》でいるさ……」などと、いかにも可憐な罌粟《けし》の花で、俺を飾ってくれた悪魔が不服を言う。「死を手に入れる事だ、お前の欲念、利己心、七大罪のすべてを抱えて」

ああ、そんなものは、もう、抱えきれぬほど抱え込んでいるよ、——ところで親愛なる悪魔、お願いだ、そんな苛立《いらだ》たしい眼つきをしないでくれ。ぐずぐずしていれば、いずれ、しみったれた臆病風に見舞われる、どうせ貴方《あなた》には作家の描写教訓の才などというものはご免だろう。俺の奈落の手帖の目も当てられぬ五、六枚、では、貴方に見ていただく事にしようか。

悪胤

蒼白《あおじろ》い眼と小さな脳味噌と喧嘩の拙さとを、俺は先祖のゴール人たちから承《う》け継《つ》いだ。この身なりにしたって、彼らなみの野蛮さだ。まさか頭にバタをなすりはしないが。

野獣の皮を剝《は》ぎ、草を燎《や》き、ゴール人とは当時最も無能な人種であった。

お蔭でこの身に備わったものは偶像の崇拝と瀆聖《とくせい》への愛情、——それこそあらゆる悪徳だ、憤怒と淫乱、——淫乱も物々しい奴、——わけても嘘と無精《ぶしょう》である。

およそ職業と名のつくものがやり切れない。親方、職工、百姓、穢《けが》わしい。ペンを持つ手だって鋤《すき》とる手だって同じ事だ。——なんと、手ばかり幅を利かせる世紀だろう。——こんな手などは誰にでもくれてやる。と言って、奴隷の身分という奴も永持ちし過ぎる代物《しろもの》だ。物乞いの正直さを思えば、俺の心は痛むのだ。罪人も厭《いと》わしい、去勢者も厭わしい。この俺に何のかかわりがある、どっちにしても同じ事だ。

ああ、それにしても。俺の言葉がこの身の怠惰を今日の今日まで導き護って来たとは。

そうまで不実な言葉となろうとは。誰の仕業《しわざ》か。何の役にも立たず、身体さえも動かさず、それこそ蟇《がま》よりもまだのらくらと、俺は処かまわず生きて来た。およそヨーロッパの家庭で、俺の知らないのは一つもない。――手に取るように解るのだ。どれを眺めても、『人間諸権利』の宣言を後生《ごしょう》大事と握っている。――家庭の子らは、どいつもこいつも知ったのだ。

***

フランスの歴史を探ってみて、何処《どこ》かにこの俺の身元が見つかったならば。

いや、いや、そんなものは無い。

俺はいつも劣等人種だった。解りきった事だ。叛逆というものがいったい解らない。俺の人種が立ち上ったのは掠奪《りゃくだつ》の時と決っていた、死肉を漁《あさ》る狼のように。

俺は『教会』の長女、フランスの歴史を想い起す。俺は賤民なりに聖地の旅をしたのかも知れない、俺の頭には、スワビヤの野を横切る諸街道、ビザンスの四方の眺めもジェルサレムの館《やかた》もある。聖母への信心と救世主への感激とは、俗界百千の魔境を交えて、この身に目覚める。――太陽に蝕《むしば》まれた石垣の下に、破れた壺、いらくさの上に、俺は癩《らい》を病み坐っている。――降っては中世紀、騎卒となって、ドイツの夜々を、野営に明かしたかも知れない。

ああ、まだある。老人子供と手に手をとって、赤く染った森の隅に魔法師の夜宴を踊っている。

この下界とキリスト教、それより前は俺には覚えがない。この過去の裡《うち》に、俺の顔を見直してみても埒《らち》はあくまい。いかにもいつも一人であった、家族もなかった、俺の喋《しゃべ》った言葉さえ、いったいどこの言葉であったか。キリストの教えのなかにも、キリストのような顔をした『高貴な方々』の教えのなかにも、この俺は断じて見つからない。

前世紀には俺は誰だったか。今在《あ》る俺が見えるだけだ。もはや放浪もなくなった。あてどのない戦《いくさ》もなくなった。劣等人種はすべてを覆った、――いわゆる民衆を、理性を、国家を、科学を。

そら、科学だ。どいつもこいつもまた飛びついた。肉体のためにも魂のためにも、――臨終の聖餐《せいさん》、――医学もあれば哲学もある、――たかが万病の妙薬と恰好《かっこう》をつけた俗謡さ。それに王子様らの慰みかそれとも御法度《ごはっと》の戯れか、やれ地理学、やれ天文学、機械学、化学……

科学。新貴族。進歩。世界は進む。なぜ逆戻りはいけないのだろう。

これが大衆の夢である。俺たちの行手は『聖霊』だ。俺の言葉は神託だ、嘘も偽りもない。俺には解っている、ただ、解らせようにも外道《げどう》の言葉しか知らないのだ、ああ、喋るまい。

＊＊＊

邪教の血が戻って来る。『聖霊』は間近にある。なぜキリストは、この魂に高貴と自由とを与えて、俺を助けてはくれないのか。ああ『福音』は去ったのか。『福音』よ。『福音』。


俺はがつがつして『神』を待っている。いつまで経《た》っても劣等人種だ。

ゴールの西岸、アルモリックのほとり。夜が来たら、街々に灯が点《とも》るのかしら。役は終った、俺はヨーロッパを去る。海風は俺の肺臓を焼くだろう。未開地の天候は俺の肉を鞣《なめ》すだろう。泳いでは草を藉《し》き、狩しては煙草《たばこ》をふかし、滾《たぎ》り立つ金属のような火酒をのむ事だ。――焚火《たきび》を囲んで、あの親しい祖先の人々がしたように。

俺は、浅黒い肌、鋼鉄の四肢と兇暴な眼とをもって還《かえ》って来るだろう。人々は俺の仮面を眺めて強族の流れというだろう。金も貯めよう、無為残忍の暮しもしよう。女たちは、熱い国々から還って来たこういう非道な病人どもを看取《みと》るのだ。俺は政治の渦中に捲き込まれる。救われるのだ。

差し当っては呪われの身だ、俺は祖国を怖れている。海辺の砂にごろりとなって眠りこけるのが何よりだ。

＊＊＊

出発は見合せだ。――また、足元の径《みち》を辿《たど》り直すとしようか、この身の悪魔を背負って。物心がついてこのかた、俺の脇腹に苦悩の根を下した悪徳を、――空にも翔《かけ》り、俺を叩きのめしては引き廻す悪徳を。最後の無邪気と最後の臆病。解っている。俺の嫌厭《けんえん》、叛逆の数々を世に吹聴したところで始まらない。

さあ。前進、行李、沙漠、倦怠と憤怒と。

いったい俺が誰に自讃しようというのだ。どんな獣物《けもの》を崇《あが》めなければならないのだ。どんな聖像に挑《いど》みかかろうというのか。どんな心臓を砕くのか。どんな嘘をついてはならないのか。――さてはどんな血に塗《まみ》れて歩くのか。

いっそ、正義にとりつかれまいと用心する事だ。――辛《つら》い命を、てもなく愚かに生きようか、――萎《しな》びた拳を揚げ、棺の蓋を取除き、腰を下して、息絶えて。そして老いもなく、危さもなく。恐怖はフランス人に禁物だ。

――ああ、何と寄辺《よるべ》もない俺の身か。完成への燃え上る想いの数々を、俺はもうどんな聖像に献げても構わない。

ああ、俺の自己抛棄と見事な愛、だが、下界は下界だ。

深きところより、主よ、俺は阿呆だ。

＊＊＊

未《ま》だ未だほんの幼い頃だ。徒刑場に、陽の目も見ない頑情無頼の囚人に、俺は眼を見張ったものだ。俺は、その男の滞在によって祝聖されたと思《おぼ》しい数ある旅館を訪れた、下宿を訪れた。その男の想いをもって、青空を眺め、野天に彩《いろどり》なす労働を眺め、彼の宿命を街々に嗅《か》いだ。彼は聖者を凌《しの》ぐ力を持ち、旅人も及ばぬ分別を備えていた、――しかも、その光栄と理智との証《あか》しをするものは彼だったとは、彼だけだったとは。

冬の夜々、宿もなく、衣食もなく、諸街道を徙《うつ》り行き、俺の冱《い》てついた心は一つの声に締められた。「強気にしろ、弱気にしろだ、貴様がそうしている、それが貴様の強みじゃないか。貴様は何処に行くのかも知りはしない、何故行くのかも知りはしない、ところ構《かま》わずしけ込め、誰にでも構わず返答しろ。貴様がもともと屍体なら、その上殺そうとする奴もあるまい」夜は明けて、眼の光は失せ、顔には生きた色もなく、行き会う人にも、この俺を見たものはなかったろう。

突然、俺の眼に、過ぎて行く街々の泥土は赤く見え、黒く見えた、隣室の燈火の流れる窓ガラスのように、森に秘められた宝のように。幸福だ、と俺は叫んだ、そして俺は火の海と天の煙とを見た。左に右に、数限りもない霹靂《へきれき》のように、燃え上るありとある豊麗を見た。

だが、酒宴も女らとの交友も、俺には禁じられていた。一人の仲間さえなかった。銃刑執行班をまともに眺め、激怒した俗衆の面前に俺は立っていたのだ、彼らには解らない不幸に歔《な》きながら、そして彼らを宥《ゆる》しながら。――まるでジャンヌ・ダルクだ。――「牧師や教授や先生方、俺を裁判所の手に渡したというのが君らの誤りだ。俺はもともとそういう手合いじゃない。キリストを信じた事はない。刑場で歌を歌っていた人種だ。

法律などは解りはしない。良心も持ち合わせてはいやしない。生れたままの人間なのだ。君たちが間違っている、……」

そうだとも、俺は貴様らの光には眼を閉じて来た。いかにも俺は獣物《けもの》だ、黒ん坊だ。だが、俺は救われないとも限らない。貴様らこそいかさまの黒ん坊じゃないか、気違いじみた残忍な貪欲《どんよく》な貴様らこそ。商人、貴様は黒ん坊だ。法官、貴様も黒ん坊だ。将軍、貴様も黒ん坊だ。皇帝、古臭い野望、貴様も黒ん坊だ。悪魔の工場から来た課税しない酒を喰《くら》った貴様もまた。——熱病と癌腫とに眼眩《まなこくら》んだ奴どもだ。病人や老人が、進んで釜茹《かまうで》になろうとは、見上げたものだ。——不憫《ふびん》な人々を人質に取ろうと瘋癲《ふうてん》のうろつき廻るこの大陸を離れるのが悧功《りこう》である。俺はカムの本物の子供らの王国に入る。

俺はまだ自然というものを弁《わきま》えていたか、この俺を弁えていたか。——駄言は沢山だ。俺は死人たちを腹の中に埋葬した。叫びだ、太鼓だ、ダンス、ダンス、ダンス、ダンス。白人らは上陸し、俺は、何処ともしれず堕《お》ちて行く、いつの事か、それすら俺には解らない。

飢え、渇き、叫び、ダンス、ダンス、ダンス、ダンス。

*
**

白人の上陸。号砲。洗礼を受け、着物を着て、働かねばならない。

止《とど》めの一刺しは俺の心臓を貫いた。ああ、知らなかった、知らなかった。

俺は悪を犯した覚えはない。俺には、その日その日は爽《さわ》やかに過ぎて行く、先き先き後悔する事もあるまい。善に対しては死人同然な俺の魂に、悩みの時があったとも思われぬ、葬礼の燭影《しょくえい》にも似た、厳しい光が浮かびあがるこの魂に。家庭の子の宿命、清らかな涙の灑《そそ》がれた夭折《ようせつ》。放蕩はまさしく愚劣である。悪徳は愚劣である。腐肉は遠くへうっちゃるがいい。だが、時計が、この純潔な苦悩の時を告げて、止ってしまうわけはなかろう。俺は、小児のように攫《さら》われて、あらゆる不幸を忘れ、天国に戯れようとするのであるか。

急ごう。他に生活があるとでもいうのか。——金持の居眠りは不可能だ。いかにも富とはいつも公衆のものだった。聖浄な愛だけが知識の鍵を与えてくれる。自然は邪気のない見世物に過ぎぬ。妄想よ、理想よ、過失よ、おさらばだ。

天使らの正しい歌声が救助船から起る、聖浄な愛だ。——二つの愛だ、俺は地上の愛に死ねる、献身の想いにも死ねる。俺は多くの人を棄てて来た、俺が行ったら、彼らの苦痛は増すばかりではないか。貴方は俺を難破人の仲間から選んで下さる。取り残された人々は俺の友ではないか。

彼らを救い給え。

理性は俺に誕生した。この世は善だ。俺は生活を祝福しよう。同胞を愛そう。これは、もはや子供じみた望みではない。老衰と死とを逃れようとする希《ねが》いでもない。『神』は俺に力を与え、俺は『神』を崇《あが》める。

＊＊＊

倦怠はもはや俺の愛するところでない。忿怒と自堕落と無分別、——俺はその衝動も災禍もみな心得ている、——そんな重荷はすっかり下《おろ》された。俺の無邪気の拡がりを、心を据えて検べてみるとしよう。

俺にはもう鞭の助力を頼む事も出来まい、まさかキリストを舅《しゅうと》に迎えて婚礼に船出するのだとも思えない。

俺は自分の理性の囚徒ではない。俺は言った、神様と。俺には済度の裡《うち》の自由が欲しいのだ。ああ、どうして求めたら。軽佻《けいちょう》な嗜好《しこう》は俺を去った。もう献身の想いもいらない、聖浄な愛もいらない。多感な人々の過した世紀も惜みはしない。誰も彼ももっともだ、蔑《さげす》もうと愛《いと》しもうと。俺は思慮分別の、天使の姿にも似た梯子の頂きに、俺の居場所を持ちこたえているばかりだ。

家庭のものであるにしろ、ないにしろ、安定した幸福は……真っ平だ、とてもいけない。俺はあんまり気まぐれすぎる。弱すぎる。労働によって生活は花咲くとは今も変らぬ真実だ。ところが俺の生活はいったい目方が掛からない。世界の重点、行動というものの遥か上層に飛び去り、漾《ただよ》っているのだ。

死を愛する気力も失せたとは、まるで売れのこりの娘同然だ。

『神』がもし聖らかな天空の平穏を、祈りを、与えてくれたのなら、――古代の聖賢のように。――聖人、強者か、ふん、遁世者《とんせいしゃ》、いかさま芸術家か。

道化《どうけ》がいつまで続くのだ。俺は自分の無邪気に泣き出したくなる。生活とは風来の道化である。

＊
＊＊

沢山だ、見ろ、罰は当った。——進軍。

ああ、肺臓は焼け、顳顬《こめかみ》は鳴る。この陽盛《ひ》りに、眼には闇夜がうねる。心臓が、……四肢が、……

何処へ行く。戦《いくさ》へか、ああ、俺は弱い。皆んなは進んで行く。道具を、武器を……時をかせ。……

撃《う》て。俺を撃つんだ。さあ、やってくれ。いけなきゃ降参してしまう。——意気地なしめ。——自殺だ。俺は馬の脚下に身を投げる。

ああ……

——これもやがては慣れるのか。

これがフランス人の生活というものなのか、ああ、名誉への道とは。

地獄の夜

俺は毒盃を一盞《さん》見事に傾けた。——たまたま俺が受けた忠告には、くれぐれも礼を言って置こう。——臓腑は焼けつく。劇毒に四肢は捩《ねじ》れ、形相は変り、俺は地上をのた打った。死にそうに喉は乾く、息はつまる、声も出ない。地獄だ、永劫《えいごう》の責苦だ、どうだ、この火の手の上りようは。俺は申分なく燃え上っている。悪魔め、ぐずぐずするんじゃない。

俺は、善と幸福とへの改宗を、救いを予見してはいた。俺はこの幻が描けるか。地獄の風《かぜ》は讃歌なぞご免だと言う。神の手になった、麗わしい、数限りないものの群れ、求道の妙《たえ》なる調《しら》べ、力と平和と高貴な大望の数々、ああ、俺が何を知ろう。

なるほど、高貴な大望の数々か。

どっちにしても生活は生活だ。——地獄の責苦に終りはないとすれば。みずから不具を希《ねが》うとは、まさしく奈落の男じゃないか。俺は自分が地獄にいると信じている、だから俺は地獄にいる。カテシスムの実行だ。俺は自分の受けた洗礼の奴隷だ。両親よ、貴方が俺の不幸を作ったのだが、貴方もまた、御自分の不幸は作ったのだ。想えば不憫《ふびん》なお人よしだ。——相手が外道では、地獄も手がつけられまい。——どっちみちこれも生活だ。ゆくゆくは、計り知れない責苦の心地よさも覚える事だろう。兇行よ、急げ、人間法則の命により、俺が非情の境を堕《お》ちて行くために。

黙れ、黙るがいい、……喋《しゃべ》るだけ面汚し、どころか詰問だ、悪魔の奴が言うのである、「地獄の火など賤しいものだ、腹が立つとは、とんでもない大たわけだ」——いやもう、沢山頂戴した。……誰に誑《たぶらか》し込まれたのか知らないが、俺の犯した数々の不行跡、幻術とまやかしの芳香、たわいもない音楽、——また悪魔めに言わせれば、俺は真理を捕えて、正義を見ているのだそうだ、俺には穏健確実な判断と、完成への心構えがあるのだそうだ、……自惚《うぬぼれ》め、——頭の皮は干乾《ひから》びる。お情けだ、神様、俺は恐ろしい、喉が乾いて切ないのだ。ああ、少年時、草よ、雨よ、小石の上の湖よ、時計塔が十二時を告げた時の月の光……この時刻、悪魔は時計塔に棲《す》んでいる。マリヤ様、聖母様。……——ええ、己れの痴態《ちたい》に戦《おのの》くとは。

見下せば、この俺の身を思う律儀な魂の群れではないのか。……来るがいい……枕を口に当てがった俺の言葉を聞く奴もない。幽霊どもだ。なるほど、他人の身の上でくよくよする奴もないものだ。側へ寄ってはもらうまい。この俺が外道臭いのに間違いない。

　歴史を蔑み、諸原理を忘れ、数限りない幻は、常々俺の所有であった。だが語るまい、詩人ら、夢想家たちに妬《ねた》まれよう。奴らより俺の方が、どれほど豊かか知れやしない、海のように貪婪《どんらん》になる事だ。

　そうだ、生活の時計は、先刻止ったばかりであった。俺ははやこの世にはいないのだ。――神論に戯《ざ》れ言《ごと》はない、地獄はいかにも下にある、――天は頭上に。――陶酔と悪夢、燃え上る塒《ねぐら》の眠り。

　野良の配慮に、どれほどの悪意があることか。……悪魔フェルジナンは野性の種をかかえて走る、……キリストは茜色《あかねいろ》の茨《いばら》を踏み、枝も撓《たわ》めず進んで行く、……キリストは逆巻く水の上を歩いた。燈火に照され、その姿は、白衣を纏《まと》い、栗毛の組髪、碧玉の濤《なみ》の腹に立っていた……

　俺は、すべての神秘を発《あば》こう、宗教の神秘を、自然の神秘を、死を、出生を、未来を、過去を、世の創成を、虚無を。幻は俺の掌中にある。

　聞き給え……

俺はどんな能力でも持っている。――ここには誰もいない、しかも誰かがいるのだ、俺は俺の宝をばら撒《ま》きたくはない。――黒奴《くろんぼ》の歌が歌って欲しいのか、天国の踊りが見たいのか。遁甲の術が見たいのか、それとも、指環の探索に潜水してくれとでもいうのか。どうだ、黄金が鋳《い》り出して欲しいのか、病が癒《いや》して欲しいのか。

では、俺を信ずる事だ、心を和げ、導き、癒すものは信仰だ。皆んな来るがいい、――子供たちも来るがいい、――俺は君たちを慰めよう、君たちのために、人は、その驚くべき心を放つであろう。――哀れな人々、労働者たち。俺は祈りなどを望みはしない、君たちの信頼さえあれば、俺は幸福になれるのだ。

――さて、俺一人の身を考えてみても、先ずこの世には未練はない。仕合せな事には、俺はもう苦しまないで済むのだ。ただ、俺の生活というものが、優しい愚行のつながりであった事を悲しむ。

まあいい、思いつく限りの仮面はかぶってやる。

明らかに、俺たちはこの世にはいない。何の音も聞えて来ない。俺の触感は消えた。ああ、俺の城館、俺のサックスと柳の林。夕を重ね、朝を重ね、夜は明けて、昼が来て、……ああ、俺は疲れた。

怒りのために俺の地獄が、驕《おご》りのために俺の地獄が、――さては愛撫の地獄が、俺には要《い》ったのかも知れない。地獄の合奏。

疲れた果てはのたれ死だ。いよいよ墓場か、この身は蛆虫《うじむし》どもにくれてやる。ああ、思ってもやりきれない。悪魔め、貴様も道化者だ、いろいろな妖力で、この俺が盪《とろか》したいとは。よし、俺は要求する、戟叉《げきさ》の一撃、火の雫《しずく》、いいとも、結構だ。

ああ、また、生活へ攀《よ》じて行くのか、俺達の醜さに眼を据《す》えるのか。この毒、この口づけ、重ね重ねも呪わしい。この身の弱さと、この世の辛さ。ああ神様、お情けだ、この身を匿《かくま》い給え、俺にはどうにも扱えない。――俺は隠されている、しかも隠されていない。

火は亡者を捲いて立ち直る。

錯　乱　I

狂気の処女

地獄の夫

地獄の道連れの懺悔をきこう、

「天に在《いま》すわが『夫《つま》』よ、わが『主《しゅ》』よ、あなた様の下部《しもべ》たちのうちでも一番惨めな妾《わたし》の懺悔です、なにとぞお容《い》れ下さい。妾はもう駄目です、何もかも飽き飽きしてしまいました。何もかも穢《けが》れてしまいました。何という生活でしょう。

お赦し下さい、天に在す『主』よ、お赦し下さい。お赦し下さいお願いです。涙が出て仕方がありません。ああこののちも、もっともっと涙を流すことが出来ますように。

ゆくゆくは、妾も天に在す『夫』の事を悟らせて戴きます。妾は『あの人』に身を委ねるように生れ落ちた。――今は夫《あれ》が妾をぶっても仕方がないのです。

妾は今どん底にいます、妾のお友達、……いえいえ、友達などありはしない……こんな気違い、こんな責苦がまたとあるでしょうか。……愚かな事です。

ああ、妾は苦しい、妾はわめきます、妾はほんとに苦しいのです。でも、世間で一番さもしい人達の侮蔑《ぶべつ》を、背負い切れぬほど背負ったこの妾に、もう何もこわがる事はない筈です。

では私の打明け話です、と申しても、この先同じように意味もなく、悲しげな事を何遍も何遍も御耳に入れる事でしょうが。

妾は、狂気の処女達を傷つけたあの地獄の『夫』の奴隷です。確かにあの悪魔めなんです、幽霊でもありません、幻でもありません。思慮も失い、浮ぶ瀬もなく、生きながら死びととなったのはこの妾なのでございます、――この上殺されようにも殺される気遣いはありません。――あなた様にどうお話をしたらよいやら、妾にはもう話す術さえわかりません。妾はさんざんな姿で泣いて居ります、慄《ふる》えています。ああ、ほんの少しのすず風を、『主』よ、みこころにかないますなら、みこころにかないますならば。

妾は寡婦《やもめ》です、……――妾は寡婦でした、……――昔は妾も真面目でした。妾は髑髏《どくろ》になるためにこの世に生れて来たのではないのです、……――あれはほんの子供でした、……あれの何とも言えない品の好さが妾を惑わしてしまったのです。妾は人の務めも忘れ果て、あれについて行ったのです。何という生活でしょう。まことの生活というものがないのです。私たちのいるのはこの世ではありません。あれの行くところへ私も行くより仕方がないのです。それに、あれは何遍となく妾につらく当るのです、この妾に、この哀れな心に。『悪魔』ですとも。――あなた様も御承知です、あれは『悪魔』です、人間ではありません。

あれは申します、『俺は女なんか愛してはいない。恋愛というものは、承知だろうが、でっち上げるものなんだ。身のきまりがつけたいと思うだけで女どもには精々だ。きまりがつけば、美も心もあったものじゃない。今日となっては、唯一つ残った冷い侮蔑が、結婚の糧《かて》だというわけだ。それがいやなら、俺は、この俺ならばいい友達にしてやる事が出来ただろうと思いながら、それぞれ幸福そうな様子をした女どもが、薪小屋みたいに燃えつき易い獣たちに、先ず頭からぽりぽりやられるところを、拝見しているまでの事だ、……』

汚辱《おじょく》も誇りと思い、冷酷も嬉しく思い、妾はあれの言葉に聞き入るのです、『俺は遠い国の部族の生れだ、俺の先祖はスカンジナヴィヤの人々だ、奴らはお互の脇腹を刺違えては血を啜《すす》り合ったものだ。――俺は身体一面切傷《きりきず》だらけにしてやるんだ、文身《いれずみ》をするんだ、俺はモンゴルみたいにふた目と見られぬ姿になりたいんだ、見ていろ、今に往来を喚《わめ》き歩いてやるから。怒りにわれを忘れたいのだ。俺に宝石などを見せてはならぬ、俺は敷物の上にはらばってのたうち廻ってやる。俺の財貨は血だらけに染っていてほしいものだ。俺はどうあっても働かない、……』幾夜となくあれの鬼は妾を捉えて、妾はころげ廻りながらあれと摑み合ったものです。――泥酔した夜は夜で、あれは家の中や往来で妾を張っていては死ぬほどこわい目にあわせるのです。――『ほんとに、この首が、すっぱりやられちまうんだぜ、厭な事だろうよ』ああ、あれが罪の風にのって歩こうとする日の事を思いますと。

　時にはあれは、聞くも切ない片言のような言葉で、人々の悔悟をそそる死の事や、何処かにきっと生きている簿命な人々の事や、つらい稼ぎの事や、身を切られるような別れの事を話します。私たちが酔い痴《し》れて過したあばら屋で、あれは私たちを取巻く惨《みじ》めな家畜の群れの身を思っては泣きました。あれは幼い子供たちを迎える根性曲りの母親の情を持っていたのです。暗い街々に仆れた酔っぱらいたちを起してやった事もありました。――あれはカテシスムを習いに通う小娘のような優しい心を持って流れて行きました。――あれは何事にも明るいふりをしておりました。商売の事にも、芸術の事にも、医学の事にも。――妾はあれについて行きました、外に道はないのです。

　あれの身の周りの飾り物は、みんな心の裡に描いてみました、着物だとか、敷物だとか、家具だとか。それは結句、あれに鎧《よろい》を着せてみたようなものでした、別の姿にしてみたようなものでした。あれの手に触れたものは何でもあれが多分必要あって創り出したものだろうと思って妾は眺めていたのです。あれの気がめいっているような時は時で、善いにしろ悪いにしろ、わけもわからぬ、入りくんだ及びもつかないような様々な行いを、妾は進んで、あれと共にしたのです。妾は、たった一度でもあれの世界に入った事はないと信じています。どうしてこの人はあんなにこの世からさまよい出ようとするのかと考えながら、妾は眠っているあれの恋しい身体の傍《かたわら》で、幾度となく長い眠られぬ夜を過しました。こんな祈願をもった男は今までありません。――あれの身にどうこうという事は別として、――兎も角、あれは社会にとっては大変な危険人物に違いない、と考えました。――この人は多分人の世を変える秘密をいろいろ持っているのじゃないのかしら、いやいやただそれを捜しているだけだ、と妾は考え直しました。何と申しましても、あれの愛には魔法がかかっているのです。妾は俘虜となっているのです、――妾は、彼に愛され、守られて、じっとこらえているのです。――誰もこんな力を、自暴自棄な力をもっているものはありますまい。それに、妾は他人と一緒にいるあれの姿を眼に描いてみた事はなかったのです、妾にはあれの『天使』が見えるのです、決して他人の『天使』ではありません、――と、妾は信じているのです。妾があれの心の中におりますのは、まるで宮殿の中に、あなた様のようにあまり品のよくない人には誰にも出会う事がないようにと空っぽにしてしまった宮殿の中にいるようなものなのです、それだけの事でございます。ああ、妾は全くあれの意のままになっておりました。と言ってあれは弱々しい臆病な妾のいのちをどうしようというのでしょう。結句、妾が殺されずにいたとすれば、あれは妾を少しでもましな女にしてくれたわけはないのです。悲しいやら口惜しいやらで、時々妾はあれに申します、『妾にはあなたが解ります』すると、あれは冗談じゃないって身振りをするのです。

　こうして、妾《わたし》の苦しみが休む間もなく繰返されるにつれて、自分の眼にもこの妾がだんだん気違いじみて映って来ました。――誰からも永久に顧みられないのがこの身の定めだったら別の事、妾を見ようとした人々の眼にも妾がまともに映った筈はありません。――妾はだんだんあれの優しい情に飢えて来ました。あれに接吻されて優しい手に抱かれながら、妾の入って行ったところは空でした、悲しげな空でした。そしてそこに、耳も聞えず目も見えず、口もきけない哀れな姿で、とり残されるならとり残されても構わない、と妾は思いました。妾はもう慣れてしまいました。妾には、悲しみの『天国』を自由に歩き廻る優しい子供のように私たちが思われました。二人は心を合せました。二人はひどく感動して一緒に働きました。でも、身に滲《し》みるほど優しくしてくれた後で、あれ《い》はこんな事を言うのです。『俺がいなくなったら、こんなふうに暮して来たお前はどんなに滑稽に見えるだろう、お前の頸に俺の手が、お前の休んでいる俺の胸が、お前の眼の上のこの口が、みんな無くなってしまったその時には。なぜって俺はいつかは遠いところに行っちまうんだからな。他の奴らだって行かしてやらなくちゃならない、それが俺の義務なんだ。あんまりぞっとしない仕事には違いないんだが、……解ったな……』たちまち、妾はあれ《い》がいなくなって死という思っても恐ろしい影の中に投げ落されて立ちぐらみした、自分の姿を目に浮べました。妾はあれ《い》に妾を捨てないようにと約束させました。あれ《い》はこの情人の約束を幾度も幾度も誓ったのです。こんなものは妾があれ《い》に『妾にはあなたが解ります』という言葉と同様あやふやなものでした。

ああ、妾は決してあの人を嫉妬した事などありません。あれ《い》は妾から離れはしません、妾は信じています。どうなる事でしょう。あれには、一人の知人もありません。決して働こうとはしますまい。夢遊病者のように暮して行きたいのです。あれの気立てのよさと愛情だけで、世間に通るでしょうか。時々妾はこの身の浅ましさを忘れてしまうのです、あれは妾を強くしてくれるのだ、二人は旅をしよう、無人の境に狩をしよう、見知らぬ街々の鋪石の上にも、なげやりに苦もなく寝てしまおう。眼が覚めてみれば、――あれの魔法のお蔭で、――世の掟《おきて》も習わしも、きっと変っているだろう、この世は変っていなくても、妾の希いや、歓びや、暢気《のんき》さの邪魔するものはあるまい。ああ、子供の本に書いてあるあの様々な冒険が、こんなに悩んだ御褒美に、妾のものにならないものでしょうか。あれには出来ない事です。妾にはあれの理想がわからないのです。あれは自分の悔恨や希望を妾に話してきかせました。妾の知った事ではありません。あれは『神様』に話をしているのでしょうか。妾の方でも、『神様』にお話しなければなりますまい。妾は奈落のどん底にいます、もうお祈りする術《すべ》も知りません。

あれが自分の悲しみを、妾に明かしたとしてみましても、妾にはあれの冗談以上には解ろう筈はないのです。あれは妾を責めます、およそこの世で妾の心を動かしたものはことごとに、長い間かかって責めるのです、泣けば腹を立てるのです。

『――さて、ここに優しい若者があって、美しい静かな家に入って来るとする、そいつの名前がデュヴァルだろうが、デュフールだろうが、アルマンだろうが、モーリスだろうが、俺の知った事じゃない。ある女が身も心も投げ出してこの根性曲りの馬鹿者を愛してしまう、やがて女は死んで、今は確かに天上の聖女となる。この男がこの女を殺しちまったように、お前は俺を殺しちまうだろうよ。これが俺たちの定めなのだ、俺たちのような情深い心を持った者の定めなのだ……』ああ、蠢《うごめ》いているすべての人間たちが、あれには奇怪な気違いの玩具に見えたひと頃もあったのです。あれは長い間恐ろしいくらい笑っておりました。――そうしてまた若い母親のような、愛された姉のようないつもの物ごしに返るのでした。あれの荒々しい性質がとれていてくれれば、私たちは救われていたでしょうに。と申してもあれの優しさもやっぱり妾には死ぬ思いです。妾はあれの思いのままです。――ああ、妾は気が違ってしまいます。

何時かはきっとあれは奇蹟のように姿を消してしまう事でしょう、だけど、もしあれが何処かの空へ帰って行かなければならない身なのなら、妾は、妾の可愛い人の昇天の事をちらりと見るという事を知っていなくてはならないのです」

おかしな夫婦もあったものだ。

錯乱 Ⅱ

言葉の錬金術

聞き給え。この物語も数々の俺の狂気の一つなのだ。

俺は久しい以前から、世にありとある風景が己《おの》れの掌中にあるのが自慢だった。近代の詩や絵の大家らは、俺の眼には馬鹿馬鹿しかった。

俺は愛した、痴人《ちじん》の絵を、欄間の飾りを、芝居の書割《かきわり》、辻芸人の絵びら、看板、絵草紙を。また、時代遅れの文学を、坊主のラテン語、誤字だらけの春本《しゅんぽん》を、俺たち祖先の物語と仙女の小噺《こばなし》、子供らの豆本、古めかしいオペラ、愚にもつかない畳句《ルフラン》や、あどけない呂律《リトム》やを。

俺は夢みた、十字軍、話にも聞かぬ探検旅行、歴史を持たぬ共和国、息づまる宗教戦争、風俗の革命、移動する種族と大陸。俺はあらゆる妖術を信じていた。

俺は母音の色を発明した。――Aは黒、Eは白、Iは赤、Oは青、Uは緑。――俺は子音それぞれの形態と運動とを整調した、しかも、本然の律動によって、幾時《いつ》かはあらゆる感覚に通ずる詩的言辞も発明しようとひそかに希うところがあったのだ。俺は飜訳を保留した。

最初は試作だった。俺は沈黙を書き、夜を書き、描き出す術もないものも控えた。俺は様々な眩暈《げんうん》を定着した。

***

鳥の群れ、羊の群れ、村の女たちから遠く来て、
はしばみの若木の森に取りまかれ、
午後、生ぬるい緑の霞に籠められて、
ヒースの生えたこの荒地に膝をつき、俺は何を飲んだのか。

この稚《おさな》いオアーズの流れを前にして、俺に何が飲めただろう。
——楡《にれ》の梢に声もなく、芝草は花もつけず、空は雲に覆われた。——
この黄色い瓠《ひさご》に口つけて、ささやかな棲家《すみか》を遠く愛しみ、

俺に何が飲めただろう。ああ、ただ何やらやりきれぬ金色の酒。

俺は、剝げちょろけた旅籠屋《はたごや》の看板となった。

——驟雨《しゅうう》が来て空を過ぎた。

日は暮れて、森の水は清らかな砂上に消えた。

『神』の風は、氷塊をちぎりちぎっては、泥池にうっちゃった。

泣きながら、俺は黄金を見たが、——飲む術はなかった。

***

夏、朝の四時、

愛の睡りはまださめぬ、

木立には、

祭の夜の臭いが立ちまよう。

向うの、広い仕事場で、
エスペリードの陽をうけて、
もう『大工ら』は
肌着一枚で働いている。

苔むした『無人の境』に、黙りこくって、
勿体ぶった邸宅を、大工らは組んでいる、
街はやがてその上を、
偽の空で塗り潰そう。

ヴィナスよ、可愛い『職人ども』のために、
バビロンの王の家来たちのために、
暫くは心驕《おご》った『愛人たち』を、
離れて来てはくれまいか。

ああ、『牧人たちの女王様』、
大工の強い腕節が、真昼の海の水浴を、
心静かに待つようにと、
酒をはこんで来てはくれまいか。

＊＊＊

俺の言葉の錬金術で、幅を利かせていたものは、およそ詩作の廃れものだ。

素朴な幻覚には慣れていたのだ。何の遅疑なく俺は見た、工場のあるところに回々《ういうい》教《きょう》の寺を、太鼓を教える天使らの学校を。無蓋の四輪馬車は天を織る街道を駆けたし、湖の底にはサロンが覗いたし、様々な妖術、様々な不可思議。ヴォドヴィルの一外題は、様々の吃驚を目前にうち立てた。

しかも俺は、俺の魔法の詭弁を、言葉の幻覚によって説明したのだ。

この精神の乱脈も、所詮は神聖なものと俺は合点した。堪え難い熱に憑かれて無為の日を過しては、俺は獣物《けもの》らの至福を羨んだ、——穢れをしらぬ土竜《もぐら》の睡りや、幽界の無垢にも似た青虫を。

俺の性格は鋭く痩せて行った。物語の中にいて、人の世には俺は別れを告げたのだ。

一番高い塔の歌

時よ、来い、
ああ、陶酔の時よ、来い。

よくも忍んだ、
覚えもしない。
積る恐れも苦しみも
空を目指して旅立った。
厭な気持に咽喉は涸れ
血の管に暗い蔭がさす。

ああ、時よ、来い、

陶酔の時よ、来い。

穢らわしい蝿どもの
むごたらしい翅音《はおと》を招き、
毒麦は香を焚《た》きこめて、
誰顧みぬ牧場が
花をひらいて膨《ふく》れるように。

ああ、時よ、来い、
陶酔の時よ、来い。

俺は、沙漠を、萎《しお》れ枯れた果樹園を、色褪《あ》せた商店を、生ぬるい飲料を愛した。疲れた足を引摺り、臭い露次を過ぎ、瞑目してこの身を火の神太陽に献げた。

「将軍よ、君の崩れた堡塁に、古ぼけた大砲が残っているならば、乾いた土の塊をこめて、俺たちを砲撃してはくれまいか。すばらしい商店の飾窓を狙うんだ、サロンにぶち込むんだ。街にどろっ埃を食わせてやれ。蛇口などは皆んな錆びつかせてやれ。閨房にはどいつも焼けつくような紅玉の煙硝をつめ込んじまえ……」

ああ、羽虫は、瑠璃萵苣《るりちさ》に焦《こが》れ、旅籠屋の小便壺に酔い痴れて、一筋の光に姿を消すか。

飢

俺に食いけがあるならば
先ず石くれか土くれか。
毎朝、俺が食うものは
空気に岩に炭に鉄。

俺の餓鬼奴ら、横を向け、
糠の牧場で腹肥やせ。
昼顔の陽気な毒を吸え。

出水の後の河原石、
踏み砕かれた砂利を食え、
教会堂の朽ち石を、
みじめな窪池に播《ま》かれたパンを。

＊＊＊

食事にとった飼鳥の
きれいな羽を吐き出して、
樹蔭で鳴いた狼の
真似して俺も窶《やつ》れよう。

野菜のサラダや果物の
もがれるばかりでいるものを、
垣根の蜘蛛めの食うものは

ただ、紫の菫草。

ああ、眠りたい、煮られたい、
ソロモン王の祭壇で。
スープは錆《さび》の上を駆け、
セドロンの流れに注ぐのだ。

ああ、遂に、幸福だ、理智だ、俺は天から青空を取除いた。青空などは暗いのだ。俺は自然の光の金色の火花を散らして生きた。歓喜のあまり、俺は出来るだけ道化た、錯乱した表現を選んだ。

また見つかった、
何が、永遠が、
海と溶け合う太陽が。

独り居の夜も
燃える日も
心に掛けぬお前の祈念を、
永遠の俺の心よ、かたく守れ。

人間どもの同意から
月並みな世の楽しみから
お前は、そんなら手を切って、
飛んで行くんだ……。

――もとより希望があるものか
い、い、立ち直る筋もあるものか、
学問しても忍耐しても、
いずれ苦痛は必定だ。

明日という日があるものか、
深紅の燠《おき》の繻子《しゅす》の肌、
それ、そのあなたの灼熱が、
人の務めというものだ。

また見つかった、
――何が、――永遠が、
海と溶け合う太陽が。

＊＊＊

俺は架空のオペラとなった。俺はすべての存在が、幸福の宿命を持っているのを見た。行為は生活ではない、一種の力を、言わば、ある衰耗をでっち上げる方法なのだ。道徳とは脳髄の衰弱だ。

俺は、それぞれの存在が、様々な別の生活を借りているような気がした。この男なんか為《す》る事が当人にも解らない、奴さん天使である。この家族ときたら、乳離れもしないい仔犬どもの一団だ。俺は人々の眼の前で、奴らの別の生活中のある生活の瞬間を、大きな声で喋《しゃべ》ったものだ。——こうして、俺には豚が可愛くなったのだ。

錯乱の、——秘められた錯乱の——数々の詭弁は、一つとして逃したものはない。ぶちまけとあれば残らずぶちまけもしよう、からくりの糸はしっかり握っている。

健康は脅《おびやか》された。恐怖は来た。幾日もの睡りに堕ちては、起き上り、世にも悲しい夢から夢を辿った。臨終の時は熟した、この世の果て、シンメリーの果て、旋風と影との国へと、怪しげな道を、俺の羸弱《ひよわさ》はこの身を駆った。

俺は旅をして、この脳髄の上に集まり寄った様々な呪縛を、祓《はら》ってしまわねばならなかった。俺は海を愛した。この身の穢れを洗ってくれるものがあったなら、海だったに相違ない。俺は海上に慰安の十字架の昇るのを見た。俺は虹の橋に呪われていたのだ。『幸福』は俺の宿命であった、悔恨であった、身中の虫であった。幾時《いつ》になっても、俺の命は、美や力に捧げられるには巨《おお》き過ぎるのかも知れない。

『幸福』だ。鶏鳴とともに、——朝、キ、リ、ス、ト、は、来、給、え、り、の、声とともに、——見る影もなく悲しげな街々で、絶え入るように優しい幸福の歯は俺に告げた。

ああ、季節よ、城よ、
無疵なこころが何処にある。

俺の手懸けた幸福の
魔法を誰が逃れよう。

ゴールの鶏の鳴くごとに、
幸福にはお辞儀しろ。

俺はもう何事も希うまい、
命は幸福を食い過ぎた。

身も魂も奪われて、
何をする根もなくなった。

ああ、季節よ、城よ。

この幸福が行く時は、
ああ、おさらばの時だろう。

季節よ、城よ。

＊＊＊

過ぎ去った事だ。今、俺は美を前にして御辞儀の仕方を心得ている。

不可能

季節もわかたず街道を行き、あの世のように食も断ち、物乞いらの尤物《ゆうぶつ》よりも利慾を離れ、郷もなく友もないこの身を誇り、ああ俺の少年時、想えば愚かな事であった。

——ようやく俺も合点した。

——今となっては、女らは俺たちのお歯には合わないが、およそ世の女らの清潔と健康との寄生虫となり、愛撫の機会は一つとしてのがさない、世のいい気な男たちを、俺が侮蔑したのは正しかった。

俺も逃亡ときめるからには、俺のあらゆる侮蔑にはそれぞれ理由は持っていた。

如何にも俺は逃げる。

理由はこうだ。

昨日も俺は溜息をついた、「おや、おや、俺たちもこの下界でこのくらい呪われていれば充分だ。俺も奴らと一座してからずいぶん長い。どいつもこいつも知ってしまった。

どうせお互に認め合っては憎み合っているんだ。俺たちには慈愛というものはわからない。だが礼儀には厚いのだ。俺たち世間の交際というものはいかにも御都合に出来ている」いったい何の変哲があるのだ、この世の中が、商人たちがお目出度屋《めでたや》たちが。——皆んな体面だけは保っている。——ところで世の選ばれた人々という奴は、俺たちをどうあしらおうというのだろう。俺たちが奴らに近づくのに向う見ずになったり、へり下ったりしなければならない以上、世には突慳貪《つっけんどん》で上機嫌な人間、いかさま名士というものはあるものだ。選ばれた人々とはこんな手合に限るので、他人の世話を焼きたがる人間ではない。

鐚銭《びたせん》同然の分別がまた戻って来て、——何、ちょっとの間だ。——俺の数々の煩悶は、俺たちは西洋にいるのだと早く悟らなかった事に由来する、と俺は気づく。西洋の沼々よ。俺はその変性した光を、衰弱した形式を、錯乱した運動を信ずるとは言わないが……、よし、今、俺の心は、東洋の終焉《しゅうえん》この方、人間精神が辿って来たありとある残虐な発展をあますところなく引き受けよう、……俺の心が望むところだ。

……さて鐚銭分別はおしまいだ。——精神は権威だ、俺が西洋にある事を望むのだ。俺は、かつて希った通りの始末をつけるために、この精神を黙らせねばなるまい。

俺は殉教者の勝利を、芸術の光輝を、発明者の驕慢《きょうまん》を、掠奪者の情熱をかなぐり捨てた。俺は再び東洋に帰った、永遠の、当初の叡智《えいち》に帰った。——なんの事はない、御粗末な怠け者の夢か。

だが、俺は、近代の苦悩を逃れる喜びを想ったわけではない。コーランの二股かけた叡智をあてにしたわけでもない。——だが、あの科学の宣言以来、キリスト教が、人間が、わかりきった事をお互に証明しては、ふざけ合い、証明をくり返しては悦に入り、およそ外に生きる術がなかったというところにこそ、まことの罰があるのじゃないか。抜目のない、また馬鹿馬鹿しくもある責苦だ、俺の心があれこれと彷徨《さまよ》い歩いた所以《ゆえん》だ。これでは自然も愛想をつかすことだろう。『お利口な方々』はキリストと一緒に生れなすった。

それというのも俺たちが霧でも耕しているからではないのか。俺たちは俺たちの水気の多い野菜と一緒に熱を啖《くら》っている。そして、酒びたりだ、煙草だ、無智だ、献身だ。——何もかもが、原始の国、東洋の思想と叡智とからは結構遠くにあるではないか。こんな毒物ばかりが製造されて何が近代だ。

『教会』の人々は言うだろう、「解っている。だが、あなたのおっしゃるのはエデンの事だろう。東洋人たちの歴史にはあなたのお為《ため》になるものはない」——違いない、俺の夢みたものはエデンの園だ。いったい俺の夢にとって古代民族のあの純潔が何を意味する。

今度は哲学者だ、「世界は若くもなければ年寄でもない、人類が単に場所を変えるだけだ。あなたは西洋にいるが、あなたがあなたの東洋に住むのは御自由だ、どんなに古いところを望もうと、——そこに手際よく住もうと、御自由だ。負けてはいけない」哲学者、君らは君らで西洋種だ。

俺の精神よ、気をつけろ。過激な救いにくみするな、鍛錬を積む事だ。——ああ、科学は俺たちの眼にはまだるっこい。

——だが、どうやら俺の心は眠っているようだ。

俺の精神が、この瞬間から絶えずはっきりと目覚めていてくれるものとしたら、俺たちはやがて真理に行き着くだろうに。真理は俺たちを、泣いている天使らをつれて取巻くであろう。……——もし俺の精神がこの瞬間まで目覚めていてくれたのなら、記憶にもないあの昔、俺は邪悪の本能に屈する事はなかっただろうに。……——絶えずはっきり目覚めていてくれたなら、俺は叡智を満身に浴びて泳いだろうに。……

ああ、純潔よ、純潔よ。

俺に純潔の夢を与えたものはこの目覚めの時だ。——精神を通して、人は『神』に至る。

想えば身を裂かれるような不幸。

光

人間の事業、これが折々俺の深淵に光を放つ爆発だ。

「何一つ空しいものはない。科学へ、進め」近代の『伝道之書』が、というのはつまり誰も彼もが喚いている。だがやっぱり、根性曲りやのらくら者の死屍は、あとからあとから人々の胸の上に斃《たお》れてくる、……ああ、早く、早く見せて欲しいものだ、夜闇を越えて、彼方には、人々の未来永劫の酬《むく》いがある、……酬いをどうして逃れよう。……

——俺にはこの世で何が出来る。俺は事業を知り抜いた。科学の足は遅すぎる。祈願は疾駆し、光は轟き、……それも俺には解っている。あんまりたわいがない、暑苦しい。俺の手が要るわけでもあるまい。俺には俺の義務がある。そいつを誰かさんみたいに棚に上げといて自慢するとするか。

俺の命は擦《す》り切れた。さあ、皆んなで誤魔化そう、のらくらしよう、何というざまだ。戯れながら暮して行こう、きっ怪な愛を夢みたり、幻の世を夢みたり、不平を言ったり、辻芸人とか乞食とか芸術家とか盗賊とか、――さては坊主とか、様々な世の外観と争ったりしながら暮して行こう。施療院の寝床の上で、香の薫りはまた強く俺を襲った。ああ、聖香を護る人、懺悔者、殉教者、……

俺は、そこに、幼い日の汚れた教育を見た。それから何があったか。……他人が二十歳の年をとり俺も二十歳の年をとり……

いや、いや、今、俺は死に反抗する。事業は、俺の誇りには、あんまり安手の代物らしい。俺がこの世に裏切るとも、結句、束の間の責苦だろう。いよいよとなったら、手当り次第摑みかかってやる、……

ところでだ、――やれ、やれ、可愛い、哀れな魂よ、俺たちには永遠はまだ失われてはいないのだろうか。

朝

一度はこの俺にも、物語を想い、英雄を想い、幸運に満ち満ちて、黄金の紙に物書いた、――愛らしい少年の日がなかったろうか。何の罪、何の過《あやま》ちあって、俺は今日の日の衰弱を手に入れたのか。諸君は、けものは苦しみに噎《むせ》び泣き、病人は絶望の声をあげ、死人は悪夢にうなされると語るのか、では俺の淪落《りんらく》と昏睡とを何と語ってくれるのか。ああ、俺にどうして俺が語れよう、乞食らがパーテルとアヴェ・マリヤとをくり返すようなものだ。俺にはもはや話す術すらわからない。

だが、今日となっては、俺も、俺の地獄とは手を切ったと信じている。いかにも地獄だった。人の子が扉を開けた、昔ながらのあの地獄だった。

生命の『王たち』、三人の道士、心と魂と霊とは、静まり返り、同じ沙漠から同じ夜へと、俺の疲れた眼は、いつも銀色の星の下で目覚めている。砂浜を越え、山を越え、新しい仕事、新しい叡智、僭主と悪魔との退散、妄信の終焉を謳《うた》うために、――最初の人々として、――地上の『降誕』を称えるために、俺たちの行く日は幾時だ。
天上の歌、人々の歩み。奴隷ども、この世を呪うまい。

別　れ

もう秋か。――それにしても、何故に、永遠の太陽を惜むのか、俺たちはきよらかな光の発見に心ざす身ではないのか、――季節の上に死滅する人々からは遠く離れて。

秋だ。俺たちの舟は、動かぬ霧の中を、纜《ともづな》を解いて、悲惨の港を目指し、焔と泥のしみついた空を負う巨きな街を目指して、舳先《へさき》をまわす。ああ、腐った襤褸《らんる》、雨にうたれたパン、泥酔よ、俺を磔刑にした幾千の愛慾よ。さてこそ、遂には審かれねばならぬ幾百万の魂と死屍とを啖うこの女王蝙蝠の死ぬ時はないだろう。皮膚は泥と鼠疫《ペスト》に蝕《むしば》まれ、蛆虫は一面に頭髪や腋の下を這い、大きい奴は心臓に這い込み、年も情も弁えぬ、見知らぬ人の唯中に、横《よこた》わる俺の姿がまた見える、……俺はそうして死んでいたのかもしれない、……ああ、むごたらしい事を考える。俺は悲惨を憎悪する。

冬が慰安の季節なら、俺には冬がこわいのだ。

――時として、俺は歓喜する白色の民族らに蔽われた、涯《はて》もない海浜を空に見る。黄金の巨船は、頭の上で、朝風に色とりどりの旗をひるがえす。俺はありとある祭を、勝利を、劇を創った。新しい花を、新しい星を、新しい肉を、新しい言葉を発明しようとも努めた。この世を絶した力も得たと信じた。さて、今、俺の数々の想像と追憶とを葬らねばならない。芸術家の、話し手の、美しい栄光が消えて無くなるのだ。

この俺、かつてはみずから全道徳を免除された道士とも天使とも思った俺が、今、務めを捜そうと、この粗々《あらあら》しい現実を抱きしめようと、土に還る。百姓だ。

俺は誑《たぶらか》されているのだろうか。俺にとって、慈愛とは死の姉妹であろうか。

最後に、俺はみずから虚偽を食いものにしていた事を謝罪しよう。さて行くのだ。

だが、友の手などあろう筈はない、救いを何処に求めよう。

＊＊＊

如何にも、新しい時というものは、何はともあれ、厳しいものだ。

俺も今は勝利はわがものと言いきれる。歯嚙みも火の叫びも臭い溜息も鎮まり、不潔な追憶はみんな消え去る。俺の最後の未練は逃げる、――言わば乞食、盗賊、死の友、あらゆる落伍者の群れへの嫉妬だが、――復讐成った以上は亡者どもだ。

断じて近代人でなければならぬ。

頌歌はない、ただ手に入れた地歩を守る事だ。辛い夜だ。乾いた血は、俺の面上に煙る、このいやらしい小さな木の外、俺の背後には何物もない。……霊の戦《いくさ》も人間の戦のようにむごたらしい、だが正義の夢はただ『神』の喜びだ。

まだまだ前夜だ。流れ入る生気とまことの温情とは、すべて受けよう。暁が来たら俺たちは、燃え上る忍辱《にんにく》の鎧を着て、光りかがやく街々に入ろう。

友の手が何だと俺は語ったか。有難い事には、俺は昔の偽りの愛情を嗤《わら》う事が出来るのだ、この番《つがい》になった嘘吐きどもに、思いきり恥を搔かせてやる事も出来るのだ、――俺は下の方に女どもの地獄を見た、――さて、俺には、魂の裡にも肉体の裡にも、真実を所有する事が許されよう。

一八七三年、四月―八月

飾画

大洪水後

『大洪水』の記憶もようやく落着いた頃、
一匹の兎が、岩おうぎとゆらめくつりがね草との中に足を停め、蜘蛛の網を透かして、虹の橋にお祈りをあげた。

ああ、人目を避けた数々の宝石、――はや眼ある様々の花。

不潔な大道には肉屋の店々がそそり立ち、人々は、とりどりな版画の面をみるような、遥か高く、けじめを附けて重なった海を指して、めいめいの小舟を曳いたのだ。

『青鬢』の家では、血が流れた、――屠殺場にも――曲馬場にも。窓はみな『神』の印璽《いんじ》に蒼ざめた。血と牛乳とが流れた。

胡散《うさん》な奴らが、家を建てた。「冷し珈琲《コーヒー》」常連が、珈琲店で、煙草をふかした。

未だきらきらした硝子《ガラス》張りの大邸宅で、子供らは、喪服をまとい不可思議な影を見つめていた。

戸口が音を立てた、と、部落の広場で、子供は、沛然たる驟雨の下で、四方の風見や鐘楼の鶏と一緒に、腕を振った。

××夫人は、アルプス山中にピアノを据えた。寺院の幾十万の祭壇で、ミサや最初の聖体拝受が行われた。

隊商らは旅立った。そして、極地の氷と夜との混乱の裡に、『壮麗旅館』は建てられた。

以来、『月』は百里香の匂う沙漠に、金狼の鳴く声を聞いた、――また、果樹園で、見すぼらしい牧歌がこぼすのも。やがて菫色の大樹林に芽は萌えて、ユーカリの樹が、俺に春だと告げた。

池よ、湧き出せ、――橋の上に、森の上に、泡立ち、逆巻け。――黒い敷布もオルガンも、稲妻も雷も、さあ立ち直って鳴り出すんだ。――水よ、悲しみよ、また、『大洪水』を盛り上げてくれ。

というのも、洪水も引いてしまってからは、――ああ、隠れた宝石、ひらいた花、――これはもう退屈というものだ。そして『女王』は、土の壺に燠《おき》かき立てる『魔法使い』は、自分は知ってるが俺たちにはわからないお話を、どうしたって聞かせたくはないだろう。

少年時

I

この偶像、眼は黒く、髪は黄に、親もなく、諂《へつら》う人もなく、物語よりも気高く、メキシコとフラマンの混血児。その住む処は、思い上った紺碧の空、緑の野辺、船も通わぬ波濤を越えて、猛々しくも、ギリシャ、スラヴ、ケルトの名をもって呼ばれた浜辺から浜辺に亙る。

森のはずれに、――夢の花、静かに鳴り、鳴り響き、光り輝く、――オレンジ色の唇をもった少女は、草原を溢れ流れる澄んだ泉の中に膝を組み、裸身を暈《くま》どり遮り包む虹の橋、花と海。

海のほとりのテラスに渦巻く貴婦人。小娘や大女、緑青の苔の中には、見事な黒人の女、草繁る雪解けの小園の粘土の上に、直立する宝石の装身具、――巡礼の想いに溢れた眼の、年若の母と大きな娘、トルコの后、傍若無人に着飾って濶歩する王女、背の低い異国の女、優しく不幸な女たち。
ああ、懶惰《らんだ》、「親しい肉体」と「親しい心」の時よ。

Ⅱ

薔薇の木立の蔭にかくれて、死んだ娘は、彼女《あのこ》だ。――年若くて身罷《みまか》った母親が石階を降る。――従兄の乗った幌無し四輪馬車は砂地を軋《きし》る。――弟は（インドに住んでいる）彼地、石竹の花開く草原に、夕陽を浴びる、――丁字の香の漂う砦に、立ちながらに埋められた老人たち。

黄金の木の葉の群れは、将軍の家を取り巻く。家人は南方にいる。――赤い街道を辿れば、空家になった宿屋がある。城は売りもの。鎧戸ははずされている。――教会の鍵は、牧師が持ってってしまってるだろう。――公園の周りの番小屋には、人が住んでいない。柵は高く、風わたる梢しか見えぬ。もっとも、中には見るものもないのだが。

草原を登りつめれば、鶏も鳴かず、鉄砧《かなしき》の音も聞えぬ村落。閘門《こうもん》は揚げられた。ああ、十字架の立ちならぶ岡、沙漠の風車、島々、風車の挽臼《ひきうす》。

魔法の花々は呟《つぶや》いた。勾配が静かに宥《なだ》めた。物語のように典雅な動物が輪を作った。

熱い涙の永遠の創り出した沖合に、雲はむらがり重なった。

Ⅲ

森に一羽の鳥がいて、その歌が、あなたの足を止め、あなたの顔を赤くする。
時を打たない時計がある。
白い生き物の巣を一つ抱えた窪地がある。
降り行く大伽藍、昇り行く湖。
輪伐林の中に、棄てられた小さな車、リボンを飾って、小径をかけ下る車がある。
森の裾を貫く街道には、衣裳をつけた役者の一団がみえる。
さて、最後には、餓え渇えた時に、あなたを追い立てるものがある。

Ⅳ

俺は、岡の上に、祈りをあげる聖者、――パレスチナの海までも、草を食って行く平和な動物のようだ。
俺は暗鬱な長椅子に靠《もた》れた学究、小枝と雨が書斎の硝子窓を打つ。

俺は、矮小《わいしょう》な森を貫く街道の歩行者。閘門の水音は、俺の踵を覆う。夕陽の金の物悲しい洗浄を、いつまでも俺は眺めている。

まことに、俺は、沖合を遥かに延びた突堤の上に棄てられた少年。行く手は空にうちつづく、道を辿って行く小僧。

辿る小道は起伏して、丘陵を、えにしだは覆い、大気は動かず。ああ、はや遠い、小鳥の歌、泉の声。行き着くところは世の果てか。

V

終に人は、漆喰《しっくい》の条目の浮き上った、石灰のように真っ白なこの墓を、俺に貸してくれるのだ、——地の下の遥か彼方に。

俺は机に肘をつき、ランプは、新聞や雑誌を、あかあかと照らしている。俺は、痴呆のように、またとりあげて読むのだが、およそ読みものには興がない。

俺の地下室の上、遥かに遠く、人々の家が並び立ち、霧は立ちこめ、泥は赤くあるいは黒く、化物の街、果てしない夜。

やや低く、地下の下水道、四側は地球の厚みだけだ。藍色の淵あるいは火の井戸かも知れぬ、月と彗星、海と物語のめぐり会うのもこの平面かもしれぬ。

懊悩の時の来るごとに、この身を、青玉《サファイア》の球、金属の球と想いなす。俺は沈黙の主人。円天井の片隅に、見たところ換気孔のような一つの姿が、蒼ざめるのは何故か。

小　話

ある『王子』が、かえりみれば、ただただ何の奇もない贅沢三昧に、日を暮して来た事を思ってむかむかした。彼は恋愛の驚くべき革命を予見していた。妻妾たちには、お天気と装飾とに甘やかされた喜び以上のものは一体が無理ではないのかと考えていた。彼には真実が欲しかった、ほんとうの願望と満足とが得たかった。たとい、これが信心の迷い事であったにしろ、なかったにしろ、兎も角彼は願ったのだ。少くとも、彼は充分に人間の力は持っていた。

彼を知った女たちは、すべて殺された。美の園の、何という掠奪だ。剣の下で、女らは彼を讃えた。それ以来、新しい女を命じなかった。——が、女たちはまた現れた。

狩や、飲酒の後、彼は従うものをすべて殺した。——だが、皆彼のあとを追った。

高価な動物の喉を割って楽しんだ。宮殿を焼いた。人々の頭上に跳りかかって、彼らを寸断した。——だが、群集も金色の屋根も美しい動物も、やっぱりなくならなかった。

破壊の裡に酔う事が出来るのか、残虐によって青春を取戻す事が出来るのか。誰一人文句を言うものもない、誰一人同意を称えるものもないのだ。

ある夕方、彼は昂然として馬を駆った。と、何とも言いようのない、いや、言うも切ないほど麗しい一人の『天才』が姿を現した。その面から、姿から、何とも定め難い、いや、支え兼ねるほどの幸福の、幾重にも錯雑した恋愛の約束が放たれた。『王子』と『天才』とは、恐らくは真の健康の裡に、互に刺違えた。この時、どうして生きながらえる事が出来ただろう。二人は一緒に死んで行った。

だが、この『王子』は、その宮殿で、尋常の齢、天寿に由って身罷った。『王子』は『天才』であった。『天才』は『王子』であった。

優れた音楽が、われわれの慾望には欠けている。

道化

挺子でも動かぬ道化《どうけ》もの。あるものは君たちの世間を食いものにして来た。彼らはその華々しい才能を、君らの心を験《ため》しては摑んだものを、あわてて活用しようとも思わない、そんな望みを持ってはいない。なんと見上げた、大人じゃないか。濁った眼は、夏の夜にさながらの、赤に黒に三色に、また、金色の星に刺された鋼鉄にも似て、顔つきはくずれ、鉛色に、蒼ざめ、火と燃えて、巫山戯《ふざけ》たしゃがれ声、擬《まが》い金襴のむごたらしい動き。――なかに年端もゆかぬ少年もいるが、――天使《ケルビム》をどんな眼つきで眺めるか、――凄味な声も、怪しげな手段《て》も心得ている。厭味な贅沢で、面白おかしく着飾って、街中に追われては、女に酒にと窶《やつ》れるのだ。

ああ、兇暴な、激怒した渋面の『天国』か。君らが承知のファキルとか舞台の道化を較べようとはとんでもない。あり合せの衣裳を纏い、悪夢の名残りを漂わせ、敬虔な半神やマランドランの哀歌や悲劇を、まるで歴史にも宗教にも無かったもののように、演じて見せる。支那人、ホッテントット、ジプシーや、白痴、人鬼、モロックの神、古風な物狂い、不吉のデモンを呼び集め、世間並みの、女親めいたやり方に獣の動作や愛情を織りまぜる。娘っ子の好きな小歌でも、新譜でも、見事にやってくれるのだ。この手品の巨匠らは、処も人も変形して、磁性の喜劇を使い果す。眼は燃え、血は歌い、骨はふくれ、涙と赤い神経の網は晃めく。その嘲弄と恐怖とは、一瞬と思えば、また、幾月も幾月もうち続く。

この野性の道化の鍵は、唯、俺一人が握っている。

古代

優しい『牧神《パーン》』の子。花々と漿果《しょうか》とに飾られたお前の額をめぐり、高価な球、お前の双眼はゆらめく。浅黒い酒糟の染みついた頬は窪をつくり、牙は光り、胸は六絃琴に似て、金属の音はブロンドの腕を流れ、両性の棲む腹に、心臓は鼓動する。夜が来たら、さまようがいい、物静かに、この股を、あの股を、左の脛《はぎ》を、動かして。

Being Beauteous

雪を前にして、丈高い、『美しい人』。死人の喘《あえ》ぎと鈍い楽の音の輪につれて、この尊い身体は、魔物のように、拡がり、慄えて、昇って行く。黒く、深紅の傷口は、見事な肉と肉との間に顕われる。――生命あるものだけが持つとりどりの色は、深く濃く、舞を舞い、台上に、『夢』をめぐって、眼の追う方に放たれる。戦慄は立ち昇り、唸りを上げて、これらの効果に狂い立った味いは、俺たちの遥か背後から、俺たちの美しい母親めがけてこの世が投げる、死人の喘ぎと嗄《しゃが》れた楽の音に充たされる、――彼女は、あとに退って、屹立する。ああ、俺たちの骨は、恋しい新しい肉の衣をきた。

⁂

ああ、灰色の顔、楯形の毛、水晶の腕。樹立と微風と交り合うなかを搔い潜り、俺が、躍りかからねばならぬ大砲だ。

生活

I

ああ、聖地の大道、寺院のテラス。かつて、様々な『箴言』を明してくれた婆羅門《バラモン》の僧はどうしてしまったか。以来、今もなお、俺の眼には、かの地のこと、その昔の老女らの姿さえ映るのだ。俺は思い起す、大河に懸った月と日の下ですごした時を、肩に置かれた友の手を、ひりつき疼《うず》く平原に立竦《たちすく》んだ俺たちの愛撫を。――一群れの深紅の鳩は飛び立って、俺の想いを囲んで鳴り渡る。――ここに、流竄《りゅうざん》の身となって、俺はあらゆる文学の劇的傑作の演ずる一幕をわがものとした。君たちに未聞の富を見せようか。俺には、君たちの見つけた様々な宝の歴史が解っている。次に来るものも見えている。人は混沌をさげすむように、俺の叡智をさげすむのだ。君たちを待つ昏睡に比べては、俺の虚無とはそも何か。

Ⅱ

俺は、すべての先人たちに比べては、およそ筋違いに貢献した一発明者だ。愛の鍵とでもいうようなあるものを発見した音楽家だと言ってもいい。今は、つましい空をいただく瘠野の旦那と成り、物乞い歩いた少年時、木靴を履《は》いて丁稚《でっち》奉公に来た事や、いろいろな諍《あらそ》い、五度六度の鰥《やもめ》ぐらし、頑丈な頭のお蔭で、どうしても仲間並みの調子が出せなかった結婚式のことなど、あれこれと想い起しては、心を動かそうと努めてもみる。俺のきよらかな快活の、過ぎた日の端くれを惜むまい。この瘠野のつましい風は、如何にも生き生きと、俺の兇暴な懐疑を養ってくれる。だが、はや、この懐疑をどうこうという事もかなわぬのなら、なおまた、新たな懊悩《おうのう》に献げたこの身であってみれば、──ただただ意地の悪い狂人となるのを待つばかりだ。

Ⅲ

俺は十二の時、閉じこめられた屋根裏の部屋で、世間を知った、人間喜劇を図解した。酒倉で歴史を覚えた。『北国』の街の、ある夜の祭では、昔の絵にある、あらゆる女性に邂逅《かいこう》した。パリのとある古い通りで、人々が、古典の造詣を傾けてくれた。俺は、東洋全土をめぐらした、壮麗な住居で、自分の大業を完成して、赫々《かくかく》とした隠遁を過した。俺は、俺の血液を攪拌し、ふたたび、務めはこの手に戻った。これに就いては、夢みる事すら許されぬ。墓場の向うから来たこの俺に、なんの任務があるものか。

出発

見飽きた。夢は、どんな風《かぜ》にでも在る。
持ち飽きた。明けても暮れても、いつみても、街々の喧噪だ。
知り飽きた。差押えをくらった命。——ああ、『たわ言』と『まぼろし』の群れ。
出発だ、新しい情と響きとへ。

王権

ある美しい朝、如何にも優しげな人々の間にたち交って、見事な男女が、広場で叫んでいた、「皆さん、私は彼女《これ》を女王にしたいのだ」「妾は女王様になりたい」女は笑い、身を顫《ふる》わした。男は黙示に就いて、既におわった試煉に就いて、人々に語った。二人は抱き合って気が遠くなった。

ほんとうだった、家々には、紅色の布が張りわたされ、二人は午前も王様だった。棕櫚の園を進む時、午後も二人は王様だった。

ある理性に

お前の指先が太鼓を一弾きすれば、音という音が放たれ、新しい諧調は始まる。

お前が一足すれば、新しい人々は蹶起《けっき》し、前進する。

頭を廻らせば、新しい愛だ。頭を復《かえ》せば、――新しい愛だ。

「俺たちの運勢を変えてくれ、俺たちの災難を篩《ふる》ってくれ、先ず時間という奴をどうにかするんだ」と子供らがお前に歌うのだ。「俺達の運と望みとの中味を、何処でもかまわぬ、育ててくれ」人々はお前にたのんでいる。

お前は幾時《いつ》でもやって来て、何処へでも行くだろう。

酩酊の午前

ああ、俺の『善』、俺の『美』。兇暴な軍楽の裡に、俺は決してよろめくまい。幻の台だ。さあ歓呼して迎えよう、先ず、未聞の事業とすばらしい肉体とを。これは子供たちの笑いで始まったが、また、彼らの笑いで終るだろう。軍楽が転調し、俺たちが古代の不協和音に還る時が来ようとも、この毒は、俺たちの血管の隅々までも残るだろう。ああ、今こそ、こういう苛責が、如何にもふさわしい俺たちだ、俺たちは熱狂して集めよう、創られたこの肉体と魂とに当てがわれた超人の約束を、この約束とこの痴酔とを、優雅と科学と暴力とを。俺たちの最も清らかな愛をもたらすために、善悪の樹を影の裡に埋葬し、暴虐な誠実を流刑にする事を、俺たちは約束された。この仕事は、どうやら厭々ながら始まったが、その終りは、――俺たちに、この永遠を直ちに捕える事が出来ぬとあれば、――それは芳香の潰乱の裡に終るのだ。

子供らの笑い声、奴隷どもの慎み、乙女らの厳めしさ、此処に横わる様々な顔、様々な物象の醜怪、君たちはこの夜を徹した思い出によって神聖なものとなれ。あらゆる粗暴の裡に始まったが、今、焰と氷との天使らとなって終るのだ。

酔い痴れ明かしたささやかな夜よ、それが、どうやら、ただお前が俺たちにくれた仮面のためのものだったとしても、神聖な夜なのだ。方法よ、お前は正しい。俺たちは、昨日、お前が俺たち年頃の人々をあがめた事を忘れまい。俺たちは毒薬を信じている。いつの日にもこの命を洗いざらい投げ出す事を知っている。

今こそ、『刺客たち』の時である。

断　章

この世が、俺たちの見開いた四つの眼にとって、たった一つの黒い森となる時に、——二人のおとなしい子供にとって、一つの浜辺となる時に、——俺たちの朗かな交感にとって、一つの音楽の家となる時に、——俺は、あなたを見附けるだろう。

「未聞の栄耀」に取り巻かれ、静かな、美しい老人だけが、たった一人、この下界に棲《す》んでいてくれたら。——俺はあなたの膝下にある。

ああ、俺が、あなたのすべての思い出を実現した身ならば、——あなたを絞め殺す術を心得た女ならば、——俺はあなたを圧し殺そう。

***

俺たちが、うんと強ければ、——尻込みする奴があるものか。うんと陽気なら、——どじを踏む奴があるものか。俺たちが、うんと狡猾なら、——手出しをする奴があるものか。

おめかししろ、踊れ、笑え。――俺には、『愛』を窓から、うっちゃる事は出来まいよ。

＊＊＊

女乞食、子供の化物よ、お前は俺のお仲間だ。可哀想な女たちも、人足どもも、さてはこの俺の当惑も、お前にしてみりゃ、どっちだっていいこった。望みのないお前の声を張りあげて、俺たちにすがり附いているがいい、この性の悪い絶望の御機嫌を取ってくれるのは、お前の声ばかりだ。

＊＊＊

七月、ある曇り日の午前。屍灰の臭いは空を翔け、――竈《かまど》に汗する木の臭い、――水漬けの花々、――散歩場の混雑、――野を貫く掘割の霧雨、――玩具と香とは何故もうないのか。

＊＊＊

綱を鐘塔から鐘塔へ、花飾りを窓から窓へ、金の鎖を星から星へと張り渡し、俺は踊る。

＊＊＊

深い池は、絶え間なく蒸発する。白い西空を負って、どんな魔女が身を擡《もた》げようとするのだろう。どんな菫色の樹の葉のむらがりが降りて来ようとするのだろう。

＊＊＊

公衆の作る遠景が、友愛の祭となって、流れて行く時、雲間には薔薇色の火の鐘が鳴る。

＊＊＊

支那墨の心地よい匂いをかき立てて、眠られぬ俺の夜を、黒色の粉末が、もの静かに降って来る。——俺は釣燭台の芯を細くし、床の上に身を投げ出す、そして影の方に捩じ向くと、俺には君たちの姿が見える、俺の娘たち、女王たち。

労働者

生暖い二月の午前の事だっけ。季節はずれの『南風《みなみ》』が吹いて、俺たち貧乏人の愚かしい思い出が、俺たちの若い頃の惨めさが、またかき立てられたんだ。

アンリカは、一昔前にはやったらしい、茶と白との市松の、木綿の袴をつけていた。絹の襟巻、リボンのついたボンネット。喪服をつけたよりいっそ悲し気な様子であった。俺たちは郊外を一廻りした。雲は空をつつんでいた、荒れ果てた小さな畠や乾枯らびた牧場の、いまわしい臭いを『南風《みなみ》』が煽った。

そうして女も疲れたが、俺ほど疲れたとは思われない。小高く細い路の上の、先月の出水の残った岩の間に、あんな小っちゃなお魚がいると、女は俺に教えてくれたっけ。

街は生業の音と煙と一緒になって、道々、遠くの方から俺たちをつけて来た。ああ、別世界、空と樹蔭に恵まれた住家。『南風《みなみ》』が吹いて俺の心に甦ったものは、幼い頃の痛ましい数々の出来事だった、夏の日の絶望だった。世の定めが、俺には一度も許してはくれなかった、あの途轍《とてつ》もなく嵩張《かさば》った力と科学とであった。いや、いや、俺たちが、所詮、許嫁《いいなずけ》のみなし児なら、この貪慾な土地で、夏は過すまい。この硬ばった腕が、もうこの上、恋しい、い、い面ざしを、曳《ひ》き摺って行こうとは希うまい。

橋

硝子の灰色の空。いくつかの橋の奇態なデッサン、手前のやつは真直ぐに、向うのやつは背をまるくし、それに他のが、斜めに、角《かく》を作って降りて来る。これらの象《かたち》は、運河に照し出されたまた別の円周の裡につぎつぎに姿を現わし、すべては、眼路はるか、長くかすかに棚曳いて、円屋根を負った岸々が、次第に低く、小さくなって行く。ある橋は、まだ家々の残骸を載せている。あるものは、帆柱や信号柱や弱々しい欄干を支えている。様々の短調和絃は錯交して、静かに流れ、様々な調べは、堤防から立ち登る。赤い背広がはっきり見える、まだ色んな衣裳やら、楽器やら。いったい、これは流行歌なのか、歴《れっき》とした演奏の端くれか、民衆讃歌の残物か。水は灰色、蒼然として、入江のように広い。

白い光線が、中空から落ちて、この喜劇を消した。

街

すべて人に知られた好尚は、家の形に、室内の家具に、さては街のプランのなかにまで、すっかり姿をひそめたし、このむき出しの近代首府の市民として、この俺が、どうせ束の間の命だ、大した不平家である筈もない。ここでは、迷信の墓碑の跡形を、君たちはたった一つも見せてはくれまい。道徳も言葉も、とうとう、ほんの単純な表現に還元されてしまった。自分を識ろうとする要求を持たぬ、この幾百万の人々は、すべて一列一体、教育を、職業を、老齢を曳いて行く。これでは人の生涯は、ある気違いじみた統計が、大陸の人々について調べたところより、幾層倍も短いものに違いない。さて、俺は窓越しに眺め入る、石炭の、分厚な、はてしない煙を透して揺れ動く、新しい亡霊の群れ、——俺たちの森の影、俺たちの夏の夜。——俺の祖国でもあり俺の心でもある俺の小屋の前に、新しいエリニーの群れ、これらはすべて、この土地では、——俺たちのまめやかな娘でもあり、下婢でもある、涙を知らぬ『死』に、絶望した『愛』に、あるいは、街路の泥の中で、しのび鳴く可愛らしい『罪』に似ている。

轍

右手に、夏の曙は、この公園の片隅の木の葉や靄や物音を目覚まし、左手の斜面は、菫色の影の裡に、湿った道路の上に、数知れぬ急勾配の轍《わだち》をみせている。魔法の国の行列か。違いない。どの車も金泥の木造りの動物を満載し、旗竿をかかげ、色とりどりの幕を張り、幾頭もの曲馬のまだら馬、逸散に駆けるにつれて、子供も大人も、皆とんでもない動物の背にまたがり、——物語の車か、昔の四輪車か、打続く乗物は、索《なわ》をわたし、花を積んで、旗を飾り立て、町はずれの野芝居にでも出掛けるかと、こてこて着飾った子供の群れで溢れている。——漆黒の羽飾りを立てた、闇の天蓋に被われて、棺桶までが幾つも幾つも、蒼く黒い大きな牝馬の駆けるにつれて繰り出して来る。

街　々

街々。夢に見るあのアレガニー、リバンの山々に足場を組まれた民衆。玻璃《はり》と木の山荘は、眼に見えぬ軌道と滑車の上を動いて行く。巨像とあかがねの棕櫚の木の帯しめた古い噴火口は火の中に朗かに哮《たけ》り、恋の祭は、山荘の背後に懸った水路の上に声あげて、打続く鐘の音は峡道に叫び、見上げるような歌い手らの集団は、眩ゆいような緋色の旗を持ち、とりどりの衣裳を着て、峯々をわたる光のように走って行く。逆巻く渦のただ中に、物見台をしつらえて、剛勇を歌うローランの仲間。深潭《しんたん》と旅館の屋根屋根とをわたる歩橋の上に、空は燄々《えんえん》として旗竿を飾る。讃歌の流れは昇り行き、高く、天使にも似た女性のサントールが、雪崩《なだれ》の裡に機動する辺りに溶け込む。遥かに聳《そび》えた山々の頂きを区切ってその上は、オルフェオンの舟々を浮べ、高貴の真珠、法螺貝《ほらがい》のざわめきを孕《はら》み、『ヴィナス』の永遠の誕生に波立つ海だ、――海には、幾度か、命も消え入るばかりの光が放たれては、暗い影がさす。山の斜面に、俺たちの武器、俺たちの盃のように巨きな花々の収穫が唸る。『マブ』の行列は猫眼石のように光る焦茶の衣を纏って、谷間を登る。彼方、滝水と木苺を踏んで、牡鹿らは、『ダイアナ』の乳房をふくむ。『バッカスを祭る女ら』は、町はずれに啜泣《すすりな》き、焼けただれた月の遠吠え。ヴィナスの入るのは、鍛冶屋の洞か、隠者のか。鐘楼の群れは、人々の想いを歌い、骨で築いた城からは、聞いた事もない楽の音が洩れる。伝説はことごとく動き出し、麋《おおしか》は町々に飛びかう。嵐の楽園はくつがえり、野人らは夜の祭を踊りぬく。そして、ある時、バグダッドの大通りの雑沓に、俺は降って来たのだが、人々は其処此処に寄り合って、山々の物語に出る亡霊を逃れる術もわきまえず、重々しい軟風の下を往き来して、新しい仕事の歓びを歌っていた。俺は、また、山に帰らねばならなかった。

いったい、どんな見事な腕のお蔭で、どんな美しい時がきて、俺の眠りと僅かな身じろぎを伝えるこの国が、俺の手に戻るのだろうか。

放浪者

不憫な兄貴だ。奴のお蔭で、何とやり切れない、眠られぬ夜々を過したことか。「この目論《もくろみ》に、俺は心底打ちこんでいたのではなかった。俺は、意気地のない兄貴を瞞《だま》していた。俺の了見違いで、二人が流浪の身に、奴隷の身に、成り果てようというのか」兄貴は、俺のことを、世にも不思議な、不運な男、無邪気な男と極めつける、その上、色々と、落附かぬ理窟をならべる。

俺は、このつむじ曲りな先生を冷やかしては言い返し挙句は、窓の方へ行ってしまう。俺は、稀代の音楽を奏する楽隊の通る野原の彼方に、未来の夜の栄華の亡霊どもを創っていた。

この取り止めのない衛生的な気晴らしの後、俺は、藁蒲団の上に横になった。こうして、ほとんど毎夜の事だ、まどろんだかと思うと、あわれな兄貴は起き上り、腐った口、むき出した眼、――たしかに夢を見ていたのだ、――俺を居間に引張って行って、痴呆のような苦しい想いを喚き立てた。

実際、俺は、心からの誠をもって、『太陽』の子の本然の姿に、兄貴を返してやろうと請合《うけあ》った、——そして、二人は、間道に酒をのみ、街道にビスケットを嚙《かじ》り、俺は、場所と定式とを求めようとあせりながら、さまよったのだ。

街々

近代の途方もない野蛮、と言ってもまだ言い足りぬ、堂々としたアクロポール。動かぬ灰色の空をいただく曇り日の陽影、諸建築の皇帝的光彩、また、地にしく永遠の雪、これはいったいどう言ったらいいものか。古典建築のあらゆる壮麗を、また奇態に大がかりな好みで、再現してくれたものだ。俺は、ハンプトン宮の幾層倍もあるような会場で、絵画の陳列を眺めている。驚いた画である。ノルウェー人でしかもナブコドノゾル王族の一人という男が、各省の階段を築かせたものに相違ない。眼につく属官どもでさえ、××どもよりは遥かに忠実忠実《まめまめ》しい、俺は、巨像の番人や建物の警吏らの顔に顫えて上った。四角な建物の集団からも、中庭と囲いある露台からも、馭者どもは追い払われている。公園は皆、すばらしい技術の手に成った素朴を現し、高台の一郭には、其処此処に、何とも見当のつかぬ場所が見える。入江は、いかめしい燈柱の立ち並んだ波止場の間に、船も浮べず、蒼然とした霙《みぞれ》の水面を展べている。短い橋は『聖堂』の円天井の真下の暗道につながる。この円蓋の骨は、精緻な鋼鉄で組まれ、径ほぼ一万五千尺に及ぶ。

銅の歩橋、物見台、会堂と列柱を取巻く階段、これら二、三の状態からでも、俺はこの街の厚さが見当がついたと信ずる。俺には了解し難い奇蹟だ。アクロポールの上下にある町々は、いったいどういう水準にあるのか。われわれ現代異邦人の認識の限りではない。商業区は、迫持《せりもち》の廻廊ある、単一な様式の円形区画《サーカス》だ。店は見えない、ただ、道路の雪は踏みしだかれ、金持らしいのが、ロンドンの日曜の朝の散歩者のようにちらほらと、ダイヤモンドの乗合馬車の方へ歩いてゆく。赤い天鵞絨《ビロード》を張った長椅子が二つ三つ。極地の飲料の用意がある。値段は、八百から千ルーピーまで色々ある。このサーカスの中に、劇場でも捜して見ようと思ったが、店々のなかはそれぞれ陰鬱なお芝居に相違あるまい、と思い直した。警察があるだろうと考えてみたが、それこそ見ず知らずの法律だろうし、この国の冒険家に就いて想像してみる事も断念した。

街の郊外は、パリの美しい通りのように典雅で、きらめく風に庇護されて、人口数百。人家はまばらに、郊外のはるか原野に、怪しげに消え入る辺りは、『伯爵領《コンテ》』につらなり、蒙昧の貴人らが、人の創った光の下に、その年代記を狩る途方もない森林と農場との、永遠の西を占めている。

眠られぬ夜

I

明るい休息だ、熱もなく、疲れもなく、寝台の上に、草原の上に。
友は、烈しくもなく、弱くもなく。友よ。
愛人は苦しめもせず、苦しめられもせず。愛人よ。
尋ね歩く仔細もない空気とこの世と。生活。
——では、やっぱりこれだったのか。
——夢は清々しくなる。

II

照明が、再び大建築の心棒に立ち還る。客間の両端は、任意の装飾へ結び、諧調ある様々な正面図に溶けこむ。眠られぬ男の前にした壁は、絵様帯《フリーズ》の断面や、気象の帯や、地質学的諸偶然やの心理的連続だ。——あらゆる面貌を備え、あらゆる性格を持った、様々な存在を孕《はら》む群なす感情の、烈しく速やかな夢。

Ⅲ

眠られぬ夜のランプと敷物は、夜半、船体に添い、下等船室をめぐって、波の音を作り出す。

眠られぬ夜の海は、アメリーの乳房のようだ。

壁紙は、中ほどまで、碧玉《エメラルド》の色に染められた薄紗の輪伐樹林、眠られぬ夜に群なす雉鳩が、林をめがけて身を躍らす。

………………………………………………

黒々と炉の板金、幾つもの砂浜に、それぞれまことの太陽が昇り、ああ、そこここに幻術の穴。と、思えば曙の眺めが唯一つ。

神　秘

斜面の勾配、鋼と碧玉《エメラルド》との草叢に、天使らは羊毛の衣をひるがえす。燃え上る草原は円丘の頂まで躍り上る。左手に背をつくる肥料土は、殺人と戦《いくさ》とに踏みならされ、不吉なもの音の繰り出す曲線。右手の山の背の背後には、曙と進歩の直線。

そして、海の法螺貝と人間の夜とが跳り廻る不穏なもの音で、画面の上の方には、一つの地帯が出来上るのだが、

星や、空や、その他のもので飾られた優しさが、斜面をまともに、――俺たちの顔の真向いに、花籠のように降りて来て、下の方には花さく蒼い淵をこしらえる。

夜明け

俺は夏の夜明けを抱いた。

館の前には、まだ何一つ身じろぎするものはなかった。水は死んでいた。其処此処に屯した影は、森の径を離れてはいなかった。俺は歩いた、ほの暖く、水々しい息吹きを目覚ましながら。群なす宝石の眼は開き、鳥たちは、音もなく舞い上った。

最初、俺に絡んだ出来事は、もう爽やかな蒼白い光の満ちた小径で、一輪の花が、その名を俺に告げた事だった。

俺は、樅の林を透かして髪を振り乱すブロンド色の滝に笑いかけ、銀色の山の頂に女神の姿を認めた。

そこで、俺は面帕《かずき》を一枚一枚とはいで行った。両手を振って道をぬけ、野原をすぎて、彼女の事を鶏にいいつけてやった。街へ出ると、彼女は、鐘塔や円屋根の間に逃げ込んだ。俺は、大理石の波止場の上を、乞食のように息せき切って、あとを追った。

道を登りつめて、月桂樹の木立の近くまで来た時、とうとう俺は、掻き集めて来た面帕を彼女に纏いつけた。俺は彼女の途轍もなく大きな肉体を、仄《ほの》かに感じた。夜明けと子供とは、木立の下に落ちた。

目を覚ませ、もう真昼だ。

花々

黄金の階段から、——絹の紐、鈍色のうす衣、緑の天鵞絨《ビロード》と青銅の陽に向いて黒ずんだような水晶の花盤が入り乱れる間に、——銀と眼と髪の毛との細線で、文《あや》に織られた掛布の上に、ジギタリスの花が開くのが見える。

瑪瑙《めのう》の上に、ばら撒かれた黄色い金貨、碧玉《エメラルド》の円天井を支えるアカジューの柱、白繻子の花束と紅玉の細い鞭とは、水薔薇を取り囲む。

巨きな緑の眼、雪の肌した神のように、海と空とはこの大理石台に、若々しく強い薔薇の群れをさし招く。

平凡な夜曲

風は、隔壁にオペラのような孔をあけ、——腐った屋根屋根の迫持台《せりもちだい》を混ぜかえし、——家々の境界を追い散らし、——ガラスの窓々に月蝕を作る。——

立ったまま、水落に、身を靠《もた》せかけ、葡萄畑に添うて、——俺は四輪馬車に乗って降って行った。中高の窓ガラス、膨らんだ羽目、縁取りした椅子、見たところ、先ず時代の見当がつく代物だ。俺の孤独な眠りの柩車か、俺の痴態の牧舎なのか、ただ一人、行きかうものもなく、乗りものは、消え失せた街道の芝草をふんで、ころがって行く。右の窓ガラスの上の方に隙間があって、月のように蒼ざめた様々な顔や、木の葉や、女の乳房がぐるぐる廻る。

——濃い緑と青とが影像を呑む。砂利が一塊り汚点をつけている近く、乗物を捨てる。

——此処で、口笛を吹こうというのか、嵐を呼ぶために、それともソドムの人々を、

——ソリムの人々を、——そして野獣を、軍隊を、

――(馭者は、再び、夢の獣たちと共に、車をかって、息づまる大樹林をくぐり、絹の泉に、眼の辺りまで、この俺を沈めようというのか)

――こうして、ざわめく水を横切り、零《こぼ》れ流れる酒を渡り、俺たちは、鞭打たれ、はこばれて行くのか、犬の吠声に乗り、ころがって行くのか……

――風は家々の境界を追い散らす。

海　景

銀《しろがね》と銅《あかがね》の車――
鋼《はがね》と銀《しろがね》の船首《へさき》が――
泡を打ち、――
茨を根元から掘り起す。
曠野の潮流と
引潮の巨大な轍は、
ぐるぐる廻り、流れ去る、東の方へ、
森の列柱の方へ、――
波止場の幹材の方へ、
その角は光の旋風に衝突する。

冬の祭

お芝居の小屋掛けの背後で、滝の音がする。水煙は延びて、メアンドル河に添う果樹園に到り次いで小径を辿り、——やがて、西空に群なす緑色、赤い色。第一帝政時代の髪を結んだオラースの水の精たち。——シベリヤの輪舞曲、ブーシェ描く支那の女たち。

煩悶

次々に砕かれて行く俺の野心を、『煩悶』のゆえに赦して貰えるだろうか、——安楽な終りが、窮迫の日々を贖《あがな》ってくれるのか、——成功の時は、俺たちの因果な無能の恥に、目をつぶらせてくれるのか。

(ああ、棕櫚よ、金剛石よ。——愛よ、力よ。——あらゆる歓喜と栄光とより遥かに高く、——到るところ、どんな意味においてもだ、——悪魔よりも、神よりも、——この俺という存在の青春。)

科学の幻術の色々な事件や、社会友愛の様々な運動が、原始の率直を歩一歩取り戻す事に比べて、果して慕わしいものであるか……

だが、俺たちを骨抜きにした『吸血鬼』は命令する、俺たちは彼女のくれるものを喜んでいればいい、でなけりゃ馬鹿をみるだけだ、と。

転々とさまようのだ、疲れた風にのり、海にのり、傷口の上を。水の沈黙と殺人の風とに送られ、刑罰の上を。荒々しいうねりを上げる沈黙の裡に、嘲笑う苦悩の上を。

メトロポリタン

群青《ぐんじょう》の海峡から、オシアンの海へ、葡萄酒色の空に洗われた、薔薇色、柑子《こうじ》色《いろ》の砂の上に、青物屋で腹ふくらす若く貧しい家族らが、放埓《ほうらつ》に軒を並べた水晶の大通りが、今、浮き上り重なり合った。一片の富もない。——街。

およそ喪の『大海』の齎《もたら》す、最も不吉な黒煙で築かれた、彎曲し、後退し、また下降する大空の、醜怪な帯を重ねる、だんだらの濃霧の層を、きり崩し、瀝青の沙漠から、真直ぐに算を乱して逃げ出す、冑、車輪、舟、馬の臀、——戦。

頭をあげろ、この弓形の木橋、サマリヤの最後の野菜園、寒夜に打叩かれる角灯の下に、彩色した様々な顔《マスク》。川下にも、衣はためかし、愚かしい女の水の精《オンディーヌ》、豌豆の苗畠には、晃きわたる髑髏の群れ、——その他、様々な幻、——田舎。

街道は、柵と石垣に縁取られ、うちには樹立ある景色も見えず、人呼んで、まごころといい、彼女《あれ》という、むごたらしい花々、呪わしいほど長いダマスクスの綾、——まだまだ古代人の音楽を迎えるには相応《ふさ》わしい、ラインの彼方の、日本の、ガラニーの、幻の貴族の領地、――もはや永劫に戸を開かない旅館がある、――王女らも棲んでいる。もし、君が、あんまり疲れていないのなら、星の研究も御勝手だ。――空。

夜が明けて、この雪の輝き、緑の唇、氷、黒い旗、蒼白い光、極地の太陽の深紅の芳香、君らは、これらのなかに立ち交って、『彼女』と一緒に、じたばたするのだ。――お前の力。

野蛮人

日々と諸季節、人間どもも国々も、遥かの彼方に後にして、
北極の花、海の絹(いずれこの世にないけれど)、その上に血を滴《したた》らす生肉の天幕。

古めかしい剛勇の軍楽に心躍り、――その音はまだまだ俺たちの心臓と頭とをやっつける。――昔の刺客の手は遠く離れて来たけれど――

ああ、北極の花、海の絹(いずれこの世にないけれど)、その上に血を滴らす生肉の天幕。

優しさよ。

炭火は、突風に氷花を交えて雨と降る。――優しさよ。――俺たちには永劫に炭化された地上の心が、投げ出した金剛石の風雨にまじる火のつぶて。――ああ、世界よ。

――

(人々の聞き、人々の感ずる古めかしい隠遁と古めかしい情火とを、離れて遠くは来

たのだが、)
炭火と泡。音楽は、深淵の廻転と、氷塊が星への激突。
ああ、優しさよ、この世よ、楽の音よ。ここに漾《ただよ》うものは、様々な像、様々な汗、とりどりの髪毛、とりどりの眼。沸騰する蒼白い涙までが、——ああ優しさよ。——火山と北極の洞窟の奥底まで行きついた女の声。
天幕は……

見切物

売物。ユダヤ人でも売った事のないものだ、貴族も罪人も味った事のないもの、民衆の呪われた愛も地獄の正直も知らなかったもの、時も科学も認めるところがなかったもの。

構成を更えた諸々の『声』。合唱、合奏のすべての力を集めた同胞の目覚めとその即時の実施、俺たちの感覚を開放する無二の機会。

売物。およそ種族の、階級の、性別の、血統の埒外にある価も量られぬ『肉体』。歩むにつれて、迸《ほとばし》る様々な富。滅茶目茶のダイヤモンドの投売り。

売物。民衆には無政府を。卓越した好事家らには抑え切れない満足を。信者、情人どもにはむごたらしい死を。

売物。住居と移住。戸外の遊技と仙境と完全な慰安。音楽と運動、なお、その齎す未来と。

売物。様々な計算の応用と未聞の諧調の飛躍と。人々の思いもかけなかった言葉の数々と掘出しもの、即時の所有。

不可見の光彩、不可知の歓喜を目指す、狂気じみた、無際涯の飛躍。――その物狂おしい様々な秘密は、各人の悪徳へ、――その恐ろしい喜悦は群集の手に。

売物。『肉体』と声、まさしく途轍もない豪奢。将来も断じて売手はないものだ。まだまだ品物には不足せぬ。旅人たちは、あわてて手附を置くにはあたらない。

Fairy

清らかな樹蔭を飾る樹液と、星のような沈黙の心ない光とが、エレーヌのために、陰謀を企てた。夏の暑熱は、歌唱わぬ小鳥に託され、為す事もない放心は、昔日の恋、褪《あ》せた匂いの入江を横切り、価も知らぬ喪の舟を促した。
——朽ち潰れた森をくぐり、早瀬の音は、杣人《そまびと》の吹く風にのり、谷間谷間に木霊する牧獣を呼ぶ角笛の音、ステップに起る叫びも、はや、過ぎて後。——

エレーヌの幼年時のために、毛皮や森の樹蔭は、身を慄わす、貧しい人々の胸も、空行く伝説も。

こうして、高貴な光彩も、冷い権威も、着飾った無類の時の歓びも、今もなお、遥か、彼女の双眼と彼女の舞踏には及ばない。

戦

少年時、何処の空とも知れず、俺の視力を磨き上げてくれた。あらゆる性格が、俺の顔に影をつけてくれた。様々な『現象』はざわめき立った。――さて今、様々な瞬間の永遠の屈折と数学的無限とが、俺をこの世に駆りたてる。そしてそこに俺は奇怪な少年時と途轍もない愛情とに敬われて、あらゆる市民の成功を追うのだ。――俺は、正義の、力の、予見を許さぬ理論の『戦』を夢みる。

音楽の一楽章のように埒《らち》もない。

青年時

Ⅰ　日曜日

計算の手を休めれば、逃れられない空の落下、数々の追想のおとずれ、様々な韻律の参加、これらのものが、住居を、頭脳を、精神の世界を占領する。

――一匹の馬が、真黒なペストにやられ、近郊の馬場を、田畑、植林に沿うて逃げる。芝居に出てくる惨めな女が、思いもかけず、捨てられて、この世のどこかで溜息をつく。嵐も酔いも痛手もおわり、兇漢らは憔悴《しょうすい》する。いとけない子供らは、小川の辺りで、様々な呪詛で息がつまる。

群集の裡に、集まり昇って行く、痛烈な事業の響きを耳にしながら、再び仕事に取りかかろう。

II 小曲

『男』、骨組も尋常に、その肉は、果樹園に生《な》った果実ではなかったか、——ああ、少年の日よ、肉体とは使い果すべき宝なのか、——まことに、愛すとは、プシシェの危難であるか、力であるか。地球は、君主や芸術家の群れで肥えた、多くの斜面を持っていた、そして血縁とか家柄とかが、君らを罪に禍に駆りたてた。この世は君たちの宿命だ、君たちの危難だ。だが、今そういう仕事も行くところまで行ったとしてみれば、お前のその計算もお前のその焦躁も、——形もないこの宇宙があってこそ、親しげに、分別ありげに構えた人間社会のなかでは、発見と成功という二重の出来事のお蔭で、一つの条理ともみえようが、すべてはや、強いられるところもなく、定まったところもない、お前たちの舞踏に過ぎぬ、お前たちの声に過ぎぬ。——ただ束の間の評価に堪える、この舞踏と声とに、力と権利とが反映するのだ。

III 二十歳

追放された教えの声々……いたいたしげに落ちついた肉体の純白……——アダジオ。

——ああ、この夏、世界は花に満ち満ちて、青春の果てしない利己と好学の楽天と。次々に、風と象《かたち》は死んで行き——……合唱だ、無力と欠乏とを鎮めるために。合唱だ、玻璃の盃を集め、夜の歌を集め……ああ、神経は、身をひるがえして追い縋《すが》る。

Ⅳ

お前は、まだまだアントワンヌの誘惑から脱れてはいない。性急な激情の跳躍、子供じみた倨傲《きょごう》の痙攣、困憊《こんぱい》や恐怖。だが、これからお前には仕事があるのだ。結構をもち、諧調をもったあらゆる可能性は、お前の椅子の周りを動くだろう。予見を許さぬ、完璧な諸存在が、お前の様々な経験に、献げられるだろう。お前の身の周りには、古代群集の好奇と無為の栄耀とが、夢のように溢れるだろう。お前の記憶と感覚とは、まさしくお前の創造する衝動の糧となるだろう。さて、この世は、お前の去った後、どうなってしまうのか。いずれにしても、何一つ今ある姿ではないだろう。

岬

金色の曙か、そぞろに身も顫う暮方か、俺たちを乗せた、二本マストのささやかな帆船は、沖合からこの別墅《べっしょ》と附属地とを、正面から見渡す。それは、エピールやペロポネーズの半島のように、日本の巨島やアラビヤのように、拡がっている。神殿《ファノム》は、使節の還りを迎えて輝き、近代海防の素晴らしい展望、砂丘は生き生きとした花と乱酔とに飾られて、カルタゴの大運河、模糊たるヴェニスの堤防。エトナの噴煙のまどろみ、花と水との氷河の亀裂。ドイツの白楊樹に取巻かれた洗濯場、『日本の樹』の頂きを傾ける奇妙な公園の斜面、スカーボローとかブルックリンの『ロワイヤル』とか『グランド』とか名のつきそうな円形の門構えが立ち並び、鉄道は、この『ホテル』の結構に寄り添うて、穴を穿って、傾斜する。これは、イタリヤ、アメリカ、アジヤと歴史上の大建築の粋を集め、今、その窓や露台は、爽やかな風を受け、酒と灯火に満ち満ちて、旅人や高雅な人々の心に放たれ、――昼となれば、巧みを尽したタランテラの踊り、――谷間のリトゥルネルの曲を揃え、『海角殿』の正面を、夢のように装飾する。

場　面

昔の『お芝居』が、その様々な和絃を続け、その様々な『牧歌』を小分けにして見せる。

大道芝居小屋の大通り。

小石だらけの野っ原の端から端へ、木製の長い突堤、裸になった樹立の下で、未開人の大部隊が機動する。

黒紗の廊下を、さまよう人々の足もとを辿れば、角灯があり、ビラ刷りがある。

見物の簇《むら》がる小舟に覆われた群島で、揺れ動く石造りの船橋に、不可思議な鳥の群れは襲いかかる。

抒情劇は、フリュートや太鼓の音に伴われ、当世倶楽部のサロンや東洋古代の広間を周る、天井板の下に按排された、あばら屋の中でお辞儀をする。

輪伐林をいただいた円形劇場のてっぺんで、幻劇が踊る、——田畑の畝に添う、ゆらめく大樹林の影の中で、人々はベオチャ人のために声張り上げて転調する。

喜歌劇は、ある幕では、桟敷から照明まで、設けられた十個の隔壁の交截稜できれぎれになる。

歴史の暮方

心やさしい旅人が、世の見苦しい銭金沙汰から身を引いて、一人立迷う夕まぐれ、巨匠の手は、草原の翼琴《クラヴサン》をかき鳴らし、人は、女王様や恋しい女を喚《よ》ぶという鏡の池の底深く、歌留多《かるた》を遊び、西空には、聖女や面帕《かずき》や楽人や伝説の色を読むという。

旅人は、狩とさすらいの小径に佇み身を顫わす。喜劇は芝原の小屋掛けの上に雫する。ああ、このほおけたような地図の上に、貧しく、か弱い人々の苦しみか。

彼の挫けた夢の裡には、ドイツは月を目指して足場を組み、韃靼《だったん》の沙漠は輝きわたり、古代の一揆は、支那帝国の真中に蠢き、岩の階段と椅子とを攀じてアフリカと西方諸国の、蒼ざめ、ひしゃげた、ささやかな国が建とうとする。やがて、変哲もない海と夜との舞曲、がらくた化学、方図もない旋律。

旅装を解くところ、どこもかしこも、同じ凡俗の妖術だ。どんな原理的な物理学者も、検証がはや一つの懊悩であるこの肉体の嘆きの霧に、この個体の雰囲気に、身を委ね得ようとは思うまい。

いやいや、時は来る、この世は火室となり、逆巻く海、地下の狂熱、激怒した遊星、やがては、ものもの必至の勦絶《そうぜつ》だ。恐らく、誠ある人々には、心構えよと明かされていた、聖書の中にも、ノルヌによっても、あれほど、悪意なく言われていた定まり事だ。

——なかなか伝説どころの話ではないのだ。

ボトム

俺の大きな、性格にとっては、この現実は、荊棘に満ち過ぎているとは知りながら、――俺はやっぱり、天井の玉縁《たまぶち》に飛びかい、夜の影に翼を曳く青みがかった灰色の巨鳥となって、俺の女の家にいた。

俺は、数々の熱愛の宝石と肉体の傑作とを支えた天蓋の下で、持送りの玻璃と白銀とに眼を据えて、身は苦悩の白髪に覆われ、紫の歯齦を出した一匹の巨きな態であった。

すべては、影と燃え上る養魚器となった。朝、――好戦の六月の明け方、――何という馬鹿ものだ、俺は野に駆り、遣瀬ない想いを、喇叭に吹いて、打ち振い、ついには、町はずれの『サビンの木』が、俺の胸前《むなさき》に、身を投げかけてきたのであった。

H

あらゆる非道が、オルタンスの残虐な姿態を発《あば》く。彼女の孤独は色情の機械学、その倦怠は恋愛の力学だ。幼年時の監視の下に、幾多の世紀を通じて、彼女は諸々の人種の熱烈な衛生学であった。その扉は悲惨に向って開かれ、そこに、この世の人間どもの道徳は、彼女の情熱か行動の裡に解体を行う。——血だらけになった土の上に、清澄な水素による、まだ穢れを知らぬ、様々な愛の恐ろしい戦慄。オルタンスを捜せ。

運　動

堤防に落下する大河の震動、船尾に渦巻き、斜面を疾駆し、激流を通過し、不思議な光と化学の新しさとにより、谷の竜巻、流れの竜巻に囲まれて、旅行者らが運ばれる。

彼らは、めいめいの化学の富を求める、世界の征服者だ。遊戯と慰安とは、彼らとともに旅し、彼らは、民族の、階級の、動物の教育をこの船にもたらす。洪水のような光に、研究の恐ろしい夜に、休息と眩暈《げんうん》とをもたらす。

何故なら、様々な装置、血や花や火や宝石の中の談笑、逃走するこの船で激論される計算——彼らの研究の元資《もとで》が、奇怪な姿で、限りなく輝き、——水力発電の水路の彼方の堤防のように轟くのが見えるからだ。調和ある陶酔と発見のヒロイズムに追い込まれた彼ら。

この最も驚くべき気圏の中の出来事の中で、年若い夫婦が、方舟に乗り孤立し、歌を歌い、身構える。——人々の許す古代の野蛮であるか。

献　身

妹ルイズ・ヴァナン・ド・ヴォランゲムへ、――『北国』の海に向いた彼女の青い尼僧帽《コルネット》。――難破した人々のために。

妹レオニー・オーボア・ダッシュビーへ。やれやれ、――悪臭を放ち、唸りをあげる夏の草。――女親と子供たちとの発熱のために。

ルルへ、――悪魔、――覚束ない教育の、『仲よし』と呼ばれた年頃の、おしゃべり癖はまだ抜けぬ。――世の男たちのために。――××夫人へ。

かつての俺の青春へ。この年老いた聖者へ、草庵のあるいは布教の。

貧しい人々の心へ。至徳の僧へ。

さてまた、すべての礼拝へ。聖地とされた場所に在るがままの礼拝へ。時々の憧憬あるいは俺たちが持って生れた真剣な悪徳に従って、輸《はこ》ばれねばならなかった有態の事件に絡まれた礼拝へ。

今宵。屹《そび》え立つ氷の上に、魚のように脂ぎり、十月《とつき》の赤夜さながらに赤く染まったシルセートへ——(琥珀《こはく》の色に燃え立つ彼女の心)。——この極地の混乱よりもなお荒々しい、様々な武勇を忘れ、この常闇の国に倣って口を噤《つぐ》んだ、俺のただ一つの祈願のために。

何事を賭しても、どんな姿になろうとも、たとえ形而上学の旅にさまよおうとも。——いや、そうなればなおさらの事だ。

デモクラシー

「旗は、穢らわしい風景を目指して行き、俺達の訛《なまり》は、太鼓の息の根を止める」

「中心地には破廉恥きわまる汚瀆《おとく》を養おう、筋の通った暴徒らは皆殺しにするんだ」

「焼け焦げる国へ、水漬けの国へ。──工業にしろ、軍事にしろ、一番言語道断な経営に従事しろ」

「この土地はおさらばだ、何処へでも構わぬ。志を立てた壮丁ら、俺たちは、猛悪な哲学を持とう。学識には文盲を、慰安には獄道を、歩み行くこの世には決裂を。これこそ真の発展だ。前進せよ、出発だ」

天才

泡立つ冬に、夏のざわめきに、家を開け放った彼は愛情だ、現在だ。――飲料を清め、食物を清めた彼、――移り行く様々な地点の魅惑でもあり、様々な測点の不可思議な歓喜でもある彼。――俺たちは、憤怒と倦怠との裡に佇んで、嵐の空を、陶酔のはためく旗の間を、愛情や未来や力や愛が過ぎて行くのを眺める、それはまさしく彼の姿だ。

彼こそ、愛であり、新たに製作された完全な尺度であり、予見を許さぬ、驚くべき理智であり、永遠であり、どうしようもない資質に愛された機械である。俺たちは皆、かねてから、彼の許すところに驚き、また、自ら許すところに驚いていたのだ。思ってもみろ、俺たち健康の喜び、俺たち才能の躍進、俺たちエゴイストの愛情と彼に対する情熱とを、――彼こそ己れの無限の命のために俺たちを愛した……

そして、俺たちは彼の事を思い出し、彼は旅する……もし『崇拝』が姿をかくせば、鳴るのだ、彼の約定が鳴るのだ、「退れ、群がる迷信、昔ながらの肉体、世帯と年齢ども。当代こそまさに潰滅したのだ」と。

彼は何処にも行きはしまい。空から下りても来まい。女どもの憤怒、男どもの上機嫌、このすべての『罪業』の贖《あがな》いを遂げようともしまい、沢山ではないか、彼が存在し、愛されているのなら。

彼の息、頭、足なみ。形と動きとの完成のおそろしい神速。

精神の豊富と万象の無限。

彼の肉体。熱望された開放、新しい暴力の貫く優雅の破砕。

彼の眼、彼の眼。古いものはことごとく跪拝し、その赴くところに随って、また明るみに出る様々な苦痛。

彼の日。あらゆる苦悩は張り切った音楽のうちに鳴り動き消えて行く。

彼の足。古代人の侵寇よりも巨大な移住。

ああ、彼と俺たち、失われた数々の心尽しより、遥かに優しい誇りなのだ。

世界よ、日に新たな不幸の澄んだ歌声よ。

彼は俺たちすべてを知った、俺たちすべてを愛した。知ろうではないか、この冬の夜、岬から岬へわたり行き、錯乱した極地から館に至るまで、群集から浜辺に至るまで、眼は眼に見入り、様々の力と疲れた心が、彼を呼び、彼を眺め、彼を送るのを。また、海の潮をくぐり、雪の曠野《こうや》を飛び、彼の眼を、彼の息を、彼の肉体を、彼の日を追うのを。

訳者後記

ランボオ Jean-Nicolas-Arthur Rimbaud は、一八五四年十月二十日、ベルギーとの国境に近いアルデーヌのシャルルヴィルで生れた。幼年期は、母親の厳格な仕附けで、学校も秀才で通した。彼の詩才は驚くほど早熟であり、第一級の詩は既に十六歳で書いている(一八七〇年)。この年、普仏戦争が勃発し、物情騒然となるに際し、第一回の家出を行う。学校から貰った賞品を売り、パリに赴いたが、無賃乗車でつかまり、スパイ嫌疑で投獄され学校教師の釈明で連れ戻された。類似の行為を繰返し、翌年九月、傑作として知られた「酩酊船」*Bateau Ivre* を携え、四回目のパリへの出奔で、日頃傾倒していたヴェルレーヌに会う。以後二年間二人の放浪生活がつづく。両人とも否定しているが、ヴェルレーヌ夫人は、二人の関係に不道徳なものがあるとして離婚訴訟を起し、夫婦別れとなった。一八七三年七月十日、泥酔したヴェルレーヌはパリに去らんとするランボオを、ピストルで撃つ事件があり、ヴェルレーヌは、禁錮二年で、モンスに投獄された。ヴェルレーヌは獄中でカトリックに改宗し、出獄して、当時ストッツガルトにいたランボオを訪ね、旧交を暖めんとしたが、拒絶され、以後、再び会う事はなかった。ランボオの文学的生涯は、ヴェルレーヌと出会った頃から始まり、別れた頃に終ったと言っていい。ここに訳した「地獄の季節」*Une Saison en Enfer* と「飾画」*Les Illuminations* とは、ランボオの著作で最も重要な作である。前者は、ヴェルレーヌの所謂「非凡な心理的自伝」として、後者は、この反逆的な詩人の達し得ない表現の極限として。「地獄の季節」が書かれたのは、ランボオ自身が、原稿に附記している通り、一八七三年の四月から八月まで(前述の通りこの間にピストル事件がある)の間であるが「飾画」の方は、書かれた時期がはっきりわかっておらず、大体一八七二年中の作と、研究家たちに推定されていた。近年ラコストの研究、(Henry de Bouillane de Lacoste; *Rimbaud et le Problème des Illumination*, 1949)によって、従来誤りとして、研究家らに顧みられなかったヴェルレーヌの証言の方が正しいとする説、つまり「飾画」は一八七三年―七五年の作とする説が現れた。彼の研究は、ランボオの手紙や原稿の筆跡鑑定を基礎とする綿密なもので、一読して、人を首肯させる力を持っているが、私はランボオの研究家ではないから、そういう新説がある事を記するにとどめる。しかし、ラコストの推定する通り厳密に言えば、「地獄の季節」がランボオの白鳥の歌ではなかったにしろ、文学への絶縁状としてのこの作の意味には変りはないし、「千里眼《ヴォアイヤン》」の詩論で始った彼の烈しい反逆の詩作が、やがて自らを殺す運命にあった事には変りはない。

絶縁は徹底したものであった。ランボオの名が、世に初めて紹介されたのは、一八八四年、ヴェルレーヌの「呪われた詩人たち」によってである。この年ランボオは、アデンにいて、アビシニヤの蛮人相手の商売に多忙であった。当時の彼の家族に宛てた書簡の一節――「寒かろうが暑かろうが、涼しかろうが乾いていようが、この辺の気候には、もう慣れてしまったから、熱病や風土病にかかる心配もない。だが、こんな馬鹿げた商売をして、蛮人や白痴とばかり附合っていると、日に日に老け込んで行くような気がします。今、此処で生活の糧を得ている以上、また、アデンにいようが他所に行こうが、人間誰しも惨めな宿命の奴隷であってみれば、他所に行くよりアデンにいた方が増しだ。あなた方も同意なさるでしょう。他に行ったら、僕を知る人もなし、もうすっかり忘られた僕は、新規にやり直さなくてはならないでしょうからね。だから、ここで食える以上、僕はここにいるべきだ、ここにいるべきではないか、静かに暮せるだけのものが手に入らぬ限りは。ところで、暮らせるだけのものは、決して手に入るまい、僕は静かに生きも静かに死にもしまい、これほど確かな事はありますまい。要するに、回教徒が言う「世の定め」だ。これが人生です。人生は茶番ではない」(一八八四年九月十日)

ランボオが遺した書簡は、彼が往来した沙漠のように無味乾燥であって、ランボオの詩を知らぬものには勿論、読むに堪えないものであるが、詩人ランボオを心に浮べつつ、これを読むものも、あまりに変り果てたランボオの姿に驚く。右に引用した一節のような感慨めいた言葉に出会うのも、沙漠でオアシスに出会うように稀である。それも実はオアシスではない。地獄の臭いがする。僕らは、「地獄の季節」に吐露された決意が、どんなに固いものであったかを、今更のように想うのである。一八八六年の一月、タジュラーで隊商を編成し、アビシニヤの奥地に行こうとしているランボオの、家族宛の手紙のなかにこんな文句がある、「人生は辛い辛いといつも繰りかえしているような連中は、この辺に来て、しばらく暮してみるがいいのだ。哲学を学ぶためにね」こんな言葉も、書簡中ほとんど唯一つの皮肉である。かつての侮蔑嘲笑の天才が、ふと口をすべらせた、と言ったものであろうか。ともあれ、書簡に現れた事実と書簡の文体とは、言葉の虚偽に別れ、「ざらざらした現実」(la réalité rugueuse)を抱きしめる事だけが自分に残されたと信じた人間のものである事を、明らかに示している。

一八七三年のブリュッセルの事件後、一八八〇年まで、職を求めて各地を放浪し、食いつめては故郷に還って来るという生活がつづく。七四年には、ロンドンでフランス語の教師、七五年には、ストッツガルトで家庭教師、七六年は、オランダ植民地志願兵としてジャヴァにあり、七七年は、サーカス団の通訳としてスウェーデン、デンマークを巡回、マルセーユでは荷揚人足、七八年にはキプロス島の石切場の監督、といった具合である。八〇年(二十六歳)になって紅海の入口のアデンに落着き、以後、約十年間アデンとアビシニヤのハラルとを根拠地として、商業取引をつづける。九一年二月ハラルで滑液膜炎にかかり、五月、マルセーユに還り入院、右脚切断手術を行い、再起をはかったが成らず、十一月十日死亡した。この頃、パリでは、ランボオの名声が漸く高まっていたが、彼の最期を看とったものは、妹のイザベルだけであった。

旧訳に使用したベリッション版には不備があったし、その上誤訳が多かった事については、自分でも気づき、人からも指摘を受けていた。人文書院版の「ランボオ全集」刊行に際し、鈴木信太郎先生から改訳のすすめを受けたが、外国旅行の前で余暇なく、一切を先生におまかせした。その後、自分の全集に入れる折、先生の御教示に従って、ラコスト版によって改訳し、誤りを正すを得た事を、記して御厚意を謝する。テキストは、Arthur Rimbaud; Oeuvres; Texte établi par H. de Bouillane de Lacoste; Mercure de France. である。

（一九五七年九月）

この度、気がついた若干の誤記誤植の訂正を機に、かなづかいは現代表記をという出版社の希望に従って改版してもらうことにした。なおテキストはプレイヤード版をも参照した。

（一九七〇年四月）

地獄《じごく》の季節《きせつ》　ランボオ作

1938年 8 月 5 日　第 1 刷発行
1970年 9 月 16 日　第 16 刷改版発行
2008年 4 月 24 日　第 71 刷改版発行
2024年 11 月 5 日　第 88 刷発行

訳　者　小林秀雄《こばやしひでお》

発行者　坂本政謙

発行所　株式会社 岩波書店
〒101-8002 東京都千代田区一ツ橋 2-5-5

案内 03-5210-4000　営業部 03-5210-4111
文庫編集部 03-5210-4051
https://www.iwanami.co.jp/

印刷・精興社　製本・牧製本

ISBN 978-4-00-325521-6　　Printed in Japan

読書子に寄す

——岩波文庫発刊に際して——

岩波茂雄

真理は万人によって求められることを自ら欲し、芸術は万人によって愛されることを自ら望む。かつては民を愚昧ならしめるために学芸が最も狭き堂宇に閉鎖されたことがあった。今や知識と美とを特権階級の独占より奪い返すことはつねに進取的なる民衆の切実なる要求である。岩波文庫はこの要求に応じそれに励まされて生まれた。それは生命ある不朽の書を少数者の書斎と研究室とより解放して街頭にくまなく立たしめ民衆に伍せしめるであろう。近時大量生産予約出版の流行を見る。その広告宣伝の狂態はしばらくおくも、後代にのこすと誇称する全集がその編集に万全の用意をなしたるか。千古の典籍の翻訳企図に敬虔の態度を欠かざりしか。さらに分売を許さず読者を繋縛して数十冊を強うるがごとき、はたしてその揚言する学芸解放のゆえんなりや。吾人は天下の名士の声に和してこれを推挙するに躊躇するものである。このときにあたって、岩波書店は自己の責務のいよいよ重大なるを思い、従来の方針の徹底を期するため、すでに十数年以前より志して来た計画を慎重審議この際断然実行することにした。吾人は範をかのレクラム文庫にとり、古今東西にわたって文芸・哲学・社会科学・自然科学等種類のいかんを問わず、いやしくも万人の必読すべき真に古典的価値ある書をきわめて簡易なる形式において逐次刊行し、あらゆる人間に須要なる生活向上の資料、生活批判の原理を提供せんと欲する。この文庫は予約出版の方法を排したるがゆえに、読者は自己の欲する時に自己の欲する書物を各個に自由に選択することができる。携帯に便にして価格の低きを最主とするがゆえに、外観を顧みざるも内容に至っては厳選最も力を尽くし、従来の岩波出版物の特色をますます発揮せしめようとする。この計画たるや世間の一時の投機的なるものと異なり、永遠の事業として吾人は微力を傾倒し、あらゆる犠牲を忍んで今後永久に継続発展せしめ、もって文庫の使命を遺憾なく果たさしめることを期する。芸術を愛し知識を求むる士の自ら進んでこの挙に参加し、希望と忠言とを寄せられることは吾人の熱望するところである。その性質上経済的には最も困難多きこの事業にあえて当たらんとする吾人の志を諒として、その達成のため世の読書子とのうるわしき共同を期待する。

昭和二年七月

《ドイツ文学》〔赤〕

- ニーベルンゲンの歌 全二冊 相良守峯訳
- 若きウェルテルの悩み ゲーテ 竹山道雄訳
- ヴィルヘルム・マイスターの修業時代 全三冊 ゲーテ 山崎章甫訳
- イタリア紀行 全三冊 ゲーテ 相良守峯訳
- ファウスト 全二冊 ゲーテ 相良守峯訳
- ゲーテとの対話 全三冊 エッカーマン 山下肇訳
- スペインの太子 ドン・カルロス シルレル 佐藤通次訳
- ヒュペーリオン —希臘の世捨人 ヘルダーリーン 渡辺格司訳
- 青い花 ノヴァーリス 青山隆夫訳
- 夜の讃歌・サイスの弟子たち 他一篇 ノヴァーリス 今泉文子訳
- 完訳 グリム童話集 全五冊 金田鬼一訳
- 黄金の壺 ホフマン 神品芳夫訳
- ホフマン短篇集 池内紀編訳
- ミヒャエル・コールハース チリの地震 他一篇 クライスト 山口裕之訳
- 影をなくした男 シャミッソー 池内紀訳
- 流刑の神々・精霊物語 ハイネ 小沢俊夫訳

- ブリギッタ・森の泉 他一篇 シュティフター 宇多五郎 高安国世訳
- みずうみ 他四篇 シュトルム 関泰祐訳
- 沈鐘 ハウプトマン 阿部六郎訳
- 地霊・パンドラの箱 ルル二部作 F・ヴェデキント 岩淵達治訳
- 春のめざめ F・ヴェデキント 酒寄進一訳
- 花・死人に口なし 他七篇 シュニッツラー 番匠谷英一 山本有三訳
- ゲオルゲ詩集 手塚富雄訳
- リルケ詩集 高安国世訳
- ドゥイノの悲歌 リルケ 手塚富雄訳
- ブッデンブローク家の人びと 全三冊 トーマス・マン 望月市恵訳
- 魔の山 全二冊 トーマス・マン 関泰祐 望月市恵訳
- トニオ・クレエゲル トオマス・マン 実吉捷郎訳
- ヴェニスに死す トオマス・マン 実吉捷郎訳
- 講演集 ドイツとドイツ人 他五篇 トーマス・マン 青木順三訳
- 講演集 リヒァルト・ヴァーグナーの苦悩と偉大 他一篇 トーマス・マン 青木順三訳
- 車輪の下 ヘルマン・ヘッセ 実吉捷郎訳
- デミアン ヘルマン・ヘッセ 実吉捷郎訳

- シッダルタ ヘッセ 手塚富雄訳
- 幼年時代 カロッサ 斎藤栄治訳
- ジョゼフ・フーシェ —ある政治的人間の肖像 シュテファン・ツワイク 高橋禎二 秋山英夫訳
- 変身・断食芸人 カフカ 山下肇 山下萬里訳
- 審判 カフカ 辻瑆訳
- カフカ短篇集 池内紀編訳
- カフカ寓話集 池内紀編訳
- ドイツ炉辺ばなし集 —カレンダーゲシヒテン ヘーベル 木下康光編訳
- ウィーン世紀末文学選 池内紀編訳
- ティル・オイレンシュピーゲルの愉快ないたずら 阿部謹也訳
- チャンドス卿の手紙 他十篇 ホフマンスタール 檜山哲彦訳
- ホフマンスタール詩集 川村二郎訳
- インド紀行 全二冊 ボンゼルス 実吉捷郎訳
- ドイツ名詩選 生野幸吉 檜山哲彦編
- 聖なる酔っぱらいの伝説 他四篇 ヨーゼフ・ロート 池内紀訳
- ラデツキー行進曲 全二冊 ヨーゼフ・ロート 平田達治訳
- ボードレール 他五篇 —ベンヤミンの仕事2 ベンヤミン 野村修編訳

パサージュ論 全五冊　ヴァルター・ベンヤミン　今村仁司・三島憲一・大貫敦子・高橋順一・塚原史・細見和之・村岡晋一・山本尤・横張誠・與謝野文子・吉村和明 訳
ジャクリーヌと日本人　ヤーコプ　相良守峯訳
ヴォイツェク ダントンの死 レンツ　ビューヒナー　岩淵達治訳
人生処方詩集　エーリヒ・ケストナー　小松太郎訳
終戦日記一九四五　エーリヒ・ケストナー　酒寄進一訳
独裁者の学校　エーリヒ・ケストナー　酒寄進一訳
第七の十字架 全二冊　アンナ・ゼーガース　山下肇・新村浩訳

《フランス文学》〔赤〕

ラブレー第一之書 ガルガンチュワ物語　渡辺一夫訳
ラブレー第二之書 パンタグリュエル物語　渡辺一夫訳
ラブレー第三之書 パンタグリュエル物語　渡辺一夫訳
ラブレー第四之書 パンタグリュエル物語　渡辺一夫訳
ラブレー第五之書 パンタグリュエル物語　渡辺一夫訳
エセー 全六冊　モンテーニュ　原二郎訳
ラ・ロシュフコー箴言集　二宮フサ訳
ブリタニキュス ベレニス　ラシーヌ　渡辺守章訳
いやいやながら医者にされ　モリエール　鈴木力衛訳
守銭奴　モリエール　鈴木力衛訳
完訳ペロー童話集　新倉朗子訳
ラ・フォンテーヌ寓話 全二冊　ラ・フォンテーヌ　今野一雄訳
カンディード 他五篇　ヴォルテール　植田祐次訳
哲学書簡　ヴォルテール　林達夫訳
ルイ十四世の世紀 全四冊　ヴォルテール　丸山熊雄訳
美味礼讃 全二冊　ブリア-サヴァラン　関根秀雄・戸部松実訳

近代人の自由と古代人の自由・征服の精神と簒奪 他一篇　コンスタン　堤林剣・堤林恵訳
恋愛論 全二冊　スタンダール　杉本圭子訳
赤と黒 全二冊　スタンダール　桑原武夫・生島遼一訳
艶笑滑稽譚 全三冊　バルザック　石井晴一訳
レ・ミゼラブル 全四冊　ユーゴー　豊島与志雄訳
ライン河幻想紀行　ユーゴー　榊原晃三編訳
ノートル＝ダム・ド・パリ 全二冊　ユーゴー　辻昶・松下和則訳
モンテ・クリスト伯 全七冊　アレクサンドル・デュマ　山内義雄訳
三銃士 全二冊　デュマ　生島遼一訳
カルメン　メリメ　杉捷夫訳
愛の妖精（プチット・ファデット）　ジョルジュ・サンド　宮崎嶺雄訳
ボオドレール 悪の華　鈴木信太郎訳
ボヴァリー夫人 全二冊　フローベール　伊吹武彦訳
感情教育 全二冊　フローベール　生島遼一訳
紋切型辞典　フローベール　小倉孝誠訳
サラムボー 全二冊　フローベール　中條屋進訳
未来のイヴ 全二冊　ヴィリエ・ド・リラダン　渡辺一夫訳

風車小屋だより　ドーデー　桜田佐訳
サフォ　パリ風俗　ドーデー　朝倉季雄訳
プチ・ショーズ　—ある少年の物語　ドーデ　原千代海訳
テレーズ・ラカン　全二冊　エミール・ゾラ　小林正訳
ジェルミナール　全三冊　エミール・ゾラ　安士正夫訳
獣人　全二冊　エミール・ゾラ　川口篤訳
氷島の漁夫　ピエール・ロチ　吉永清訳
マラルメ詩集　渡辺守章訳
脂肪のかたまり　モーパッサン　高山鉄男訳
メゾンテリエ　他三篇　モーパッサン　河盛好蔵訳
モーパッサン短篇選　高山鉄男編訳
わたしたちの心　モーパッサン　笠間直穂子訳
地獄の季節　ランボオ　小林秀雄訳
対訳 ランボー詩集　—フランス詩人選(1)　中地義和編
にんじん　ルナアル　岸田国士訳
ジャン・クリストフ　全四冊　ロマン・ローラン　豊島与志雄訳
ベートーヴェンの生涯　ロマン・ロラン　片山敏彦訳

ミレー　ロマン・ロラン　蛯原徳夫訳
狭き門　アンドレ・ジイド　川口篤訳
法王庁の抜け穴　アンドレ・ジイド　石川淳訳
モンテーニュ論　アンドレ・ジイド　渡辺一夫訳
ヴァレリー詩集　ポール・ヴァレリー　鈴木信太郎訳
ムッシュー・テスト　ポール・ヴァレリー　清水徹訳
エウパリノス　魂と舞踏　樹についての対話　ポール・ヴァレリー　清水徹訳
精神の危機　他十五篇　ポール・ヴァレリー　恒川邦夫訳
ドガ ダンス デッサン　ポール・ヴァレリー　塚本昌則訳
シラノ・ド・ベルジュラック　ロスタン　辰野隆　鈴木信太郎訳
海の沈黙・星への歩み　ヴェルコール　河野與一　加藤周一訳
地底旅行　ジュール・ヴェルヌ　朝比奈弘治訳
八十日間世界一周　ジュール・ヴェルヌ　鈴木啓二訳
海底二万里　全二冊　ジュール・ヴェルヌ　朝比奈美知子訳
火の娘たち　ネルヴァル　野崎歓訳
パリの夜　—革命下の民衆　レチフ・ド・ラ・ブルトンヌ　植田祐次編訳
シェリ　コレット　工藤庸子訳

シェリの最後　コレット　工藤庸子訳
生きている過去　レニエ　窪田般彌訳
シュルレアリスム宣言・溶ける魚　アンドレ・ブルトン　巖谷國士訳
ナジャ　アンドレ・ブルトン　巖谷國士訳
ジュスチーヌまたは美徳の不幸　サド　植田祐次訳
とどめの一撃　ユルスナール　岩崎力訳
フランス名詩選　安藤元雄　入沢康夫　渋沢孝輔編
繻子の靴　全二冊　ポール・クローデル　渡辺守章訳
A・O・バルナブース全集　全二冊　ヴァレリー・ラルボー　岩崎力訳
心変わり　ミシェル・ビュトール　清水徹訳
悪魔祓い　ル・クレジオ　高山鉄男訳
失われた時を求めて　全十四冊　プルースト　吉川一義訳
子ども　全二冊　ジュール・ヴァレス　朝比奈弘治訳
星の王子さま　サン=テグジュペリ　内藤濯訳
プレヴェール詩集　小笠原豊樹訳
ペスト　カミュ　三野博司訳
サラゴサ手稿　全三冊　ヤン・ポトツキ　畑浩一郎訳

《別冊》

増補 フランス文学案内　渡辺一夫 鈴木力衛

増補 ドイツ文学案内　手塚富雄 神品芳夫

ことばの花束 ―岩波文庫の名句365　岩波文庫編集部編

愛のことば ―岩波文庫から―　岩波文庫編集部編

世界文学のすすめ　大岡信 奥本大三郎 川村二郎 小池滋 沼野充義 編

近代日本文学のすすめ　大岡信 加賀乙彦 菅野昭正 曾根博義 十川信介 編

近代日本思想案内　鹿野政直

近代日本文学案内　十川信介

ポケットアンソロジー この愛のゆくえ　中村邦生編

スペイン文学案内　佐竹謙一

一日一文 英知のことば　木田元編

声でたのしむ 美しい日本の詩　大岡信 谷川俊太郎 編

《イギリス文学》〔赤〕

- ユートピア　トマス・モア／平井正穂訳
- 完訳カンタベリー物語 全三冊　チョーサー／桝井迪夫訳
- ヴェニスの商人　シェイクスピア／中野好夫訳
- 十二夜　シェイクスピア／小津次郎訳
- ハムレット　シェイクスピア／野島秀勝訳
- オセロウ　シェイクスピア／菅泰男訳
- リア王　シェイクスピア／野島秀勝訳
- マクベス　シェイクスピア／木下順二訳
- ソネット集　シェイクスピア／高松雄一訳
- ロミオとジューリエット　シェイクスピア／平井正穂訳
- リチャード三世　シェイクスピア／木下順二訳
- 対訳シェイクスピア詩集 ―イギリス詩人選(1)　柴田稔彦編
- から騒ぎ　シェイクスピア／喜志哲雄訳
- 冬物語　シェイクスピア／桒山智成訳
- 言論・出版の自由 他一篇 ―アレオパジティカ　ミルトン／原田純訳
- 失楽園 全二冊　ミルトン／平井正穂訳
- ロビンソン・クルーソー 全二冊　デフォー／平井正穂訳
- 奴婢訓 他一篇　スウィフト／深町弘三訳
- ガリヴァー旅行記　スウィフト／平井正穂訳
- トリストラム・シャンディ 全三冊　ロレンス・スターン／朱牟田夏雄訳
- ウェイクフィールドの牧師 ―むだばなし　ゴールドスミス／小野寺健訳
- 幸福の探求 ―アビシニアの王子ラセラスの物語　サミュエル・ジョンソン／朱牟田夏雄訳
- 対訳ブレイク詩集 ―イギリス詩人選(4)　松島正一編
- 対訳ワーズワス詩集 ―イギリス詩人選(3)　山内久明編
- 湖の麗人　スコット／入江直祐訳
- キプリング短篇集　橋本槙矩編訳
- 対訳コウルリッジ詩集 イギリス詩人選(7)　上島建吉編
- 高慢と偏見 全二冊　ジェーン・オースティン／富田彬訳
- ジェイン・オースティンの手紙　新井潤美編訳
- マンスフィールド・パーク 全二冊　ジェイン・オースティン／新井潤美・宮丸裕二訳
- シェイクスピア物語 全二冊　チャールズ・ラム メアリー・ラム／安藤貞雄訳
- エリア随筆抄　チャールズ・ラム／南條竹則編訳
- デイヴィッド・コパフィールド 全五冊　ディケンズ／石塚裕子訳
- 炉辺のこほろぎ　ディケンズ／本多顕彰訳
- ボズのスケッチ 短篇小説篇 全二冊　ディケンズ／藤岡啓介訳
- アメリカ紀行 全二冊　ディケンズ／伊藤弘之・下笠徳次・隈元貞広訳
- イタリアのおもかげ　ディケンズ／伊藤弘之・下笠徳次・隈元貞広訳
- 大いなる遺産 全二冊　ディケンズ／石塚裕子訳
- 荒涼館 全四冊　ディケンズ／佐々木徹訳
- 鎖を解かれたプロメテウス　シェリー／石川重俊訳
- アイルランド 歴史と風土　オフェイロン／橋本槙矩訳
- ジェイン・エア 全二冊　シャーロット・ブロンテ／河島弘美訳
- 嵐が丘 全二冊　エミリー・ブロンテ／河島弘美訳
- サイラス・マーナー　ジョージ・エリオット／土井治訳
- アルプス登攀記 全二冊　ウィンパー／浦松佐美太郎訳
- アンデス登攀記 全二冊　ウィンパー／大貫良夫訳
- ジーキル博士とハイド氏　スティーヴンスン／海保眞夫訳
- 南海千一夜物語　スティーヴンスン／中村徳三郎訳
- 若い人々のために 他十一篇　スティーヴンスン／岩田良吉訳
- 怪談 ―不思議なことの物語と研究　ラフカディオ・ハーン／平井呈一訳

ドリアン・グレイの肖像　オスカー・ワイルド　富士川義之訳
サロメ　ワイルド　福田恆存訳
嘘から出た誠　ワイルド　岸本一郎訳
童話集 幸福な王子 他八篇　オスカー・ワイルド　富士川義之訳
分らぬもんですよ　バアナード・ショウ　市川又彦訳
ヘンリ・ライクロフトの私記　ギッシング　平井正穂訳
南イタリア周遊記　ギッシング　小池滋訳
闇の奥　コンラッド　中野好夫訳
密偵　コンラッド　土岐恒二訳
対訳 イエイツ詩集　高松雄一編
月と六ペンス　モーム　行方昭夫訳
読書案内 ―世界文学　W・S・モーム　西川正身訳
人間の絆 全三冊　モーム　行方昭夫訳
サミング・アップ　モーム　行方昭夫訳
モーム短篇選 全二冊　行方昭夫編訳
アシェンデン ―英国情報部員のファイル　モーム　中島賢二　岡田久雄訳
お菓子とビール　モーム　行方昭夫訳

ダブリンの市民　ジョイス　結城英雄訳
荒地　T・S・エリオット　岩崎宗治訳
オーウェル評論集　小野寺健編訳
パリ・ロンドン放浪記　ジョージ・オーウェル　小野寺健訳
カタロニア讃歌　ジョージ・オーウェル　都築忠七訳
動物農場 ―おとぎばなし　ジョージ・オーウェル　川端康雄訳
対訳 キーツ詩集 ―イギリス詩人選(10)　宮崎雄行編
キーツ詩集　中村健二訳
オルノーコ 美しい浮気女　アフラ・ベイン　土井治訳
解放された世界　H・G・ウェルズ　浜野輝訳
大転落　イヴリン・ウォー　富山太佳夫訳
回想のブライズヘッド 全二冊　イーヴリン・ウォー　小野寺健訳
愛されたもの　イーヴリン・ウォー　中村健二　出淵博訳
対訳 ジョン・ダン詩集 ―イギリス詩人選(2)　湯浅信之編
フォースター評論集　小野寺健編訳
白衣の女 全三冊　ウィルキー・コリンズ　中島賢二訳
アイルランド短篇選　橋本槇矩編訳

灯台へ　ヴァージニア・ウルフ　御輿哲也訳
狐になった奥様　ガーネット　安藤貞雄訳
フランク・オコナー短篇集　阿部公彦訳
たいした問題じゃないが ―イギリス・コラム傑作選　行方昭夫編訳
真昼の暗黒　アーサー・ケストラー　中島賢二訳
文学とは何か ―現代批評理論への招待 全二冊　テリー・イーグルトン　大橋洋一訳
D・G・ロセッティ作品集　南條竹則　松村伸一編訳
真夜中の子供たち 全二冊　サルマン・ラシュディ　寺門泰彦訳
英国古典推理小説集　佐々木徹編訳

《アメリカ文学》〔赤〕

ギリシア・ローマ神話 付インド・北欧神話　ブルフィンチ　野上弥生子訳
中世騎士物語　ブルフィンチ　野上弥生子訳
フランクリン自伝　松本慎一　西川正身　訳
スケッチ・ブック 全二冊　アーヴィング　齊藤昇訳
アルハンブラ物語 全二冊　アーヴィング　平沼孝之訳
ウォルター・スコット邸訪問記　アーヴィング　齊藤昇訳
ブレイスブリッジ邸　アーヴィング　齊藤昇訳
エマソン論文集 全二冊　エマソン　酒本雅之訳
完訳 緋文字　ホーソーン　八木敏雄訳
黒猫・モルグ街の殺人事件 他五篇　ポオ　中野好夫訳
対訳 ポー詩集 —アメリカ詩人選(1)　加島祥造編
黄金虫・アッシャー家の崩壊 他九篇　ポオ　八木敏雄訳
ポオ評論集　八木敏雄編訳
森の生活 (ウォールデン) 全二冊　ソロー　飯田実訳
市民の反抗 他五篇　H・D・ソロー　飯田実訳
白鯨 全三冊　メルヴィル　八木敏雄訳

ビリー・バッド　メルヴィル　坂下昇訳
ホイットマン自選日記 全二冊　杉木喬訳
対訳 ホイットマン詩集 —アメリカ詩人選(2)　木島始編
対訳 ディキンソン詩集 —アメリカ詩人選(3)　亀井俊介編
不思議な少年　マーク・トウェイン　中野好夫訳
王子と乞食　マーク・トウェーン　村岡花子訳
人間とは何か　マーク・トウェイン　中野好夫訳
ハックルベリー・フィンの冒険 全二冊　マーク・トウェイン　西田実訳
いのちの半ばに　ビアス　西川正身訳
新編 悪魔の辞典　ビアス　西川正身編訳
ビアス短篇集　大津栄一郎編訳
ねじの回転 デイジー・ミラー　ヘンリー・ジェイムズ　行方昭夫訳
ワシントン・スクエア　ヘンリー・ジェイムズ　河島弘美訳
ノリス 死の谷 マクティーグ 全二冊　石田英二　井上宗次　訳
シスター・キャリー 全二冊　ドライサー　村山淳彦訳
響きと怒り 全二冊　フォークナー　平石貴樹　新納卓也　訳
アブサロム、アブサロム！ 全二冊　フォークナー　藤平育子訳

八月の光 全二冊　フォークナー　諏訪部浩一訳
武器よさらば 全二冊　ヘミングウェイ　谷口陸男訳
オー・ヘンリー傑作選　大津栄一郎訳
アメリカ名詩選　亀井俊介　川本皓嗣　編
魔法の樽 他十二篇　マラマッド　阿部公彦訳
青白い炎　ナボコフ　富士川義之訳
風と共に去りぬ 全六冊　マーガレット・ミッチェル　荒このみ訳
対訳 フロスト詩集 —アメリカ詩人選(4)　川本皓嗣編
とんがりモミの木の郷 他五篇　セアラ・オーン・ジュエット　河島弘美訳
無垢の時代　イーディス・ウォートン　河島弘美訳
暗闇に戯れて —白さと文学的想像力　トニ・モリスン　都甲幸治訳

《歴史・地理》〔青〕

- 新訂 魏志倭人伝・後漢書倭伝・宋書倭国伝・隋書倭国伝 —中国正史日本伝1　石原道博編訳
- 新訂 旧唐書倭国日本伝・宋史日本伝・元史日本伝 —中国正史日本伝2　石原道博編訳
- ヘロドトス 歴史 全三冊　松平千秋訳
- トゥーキュディデース 戦史 全三冊　久保正彰訳
- ガリア戦記　カエサル　近山金次訳
- タキトゥス 年代記 —ティベリウス帝からネロ帝へ 全二冊　国原吉之助訳
- ランケ 世界史概観 —近世史の諸時代　鈴木成高・相原信作訳
- ランケ自伝　林健太郎訳
- 歴史における個人の役割　プレハーノフ　木原正雄訳
- 古代への情熱 —シュリーマン自伝　シュリーマン　村田数之亮訳
- 大君の都 —幕末日本滞在記 全三冊　オールコック　山口光朔訳
- アーネスト・サトウ 一外交官の見た明治維新 全二冊　坂田精一訳
- ベルツの日記 全二冊　トク・ベルツ編　菅沼竜太郎訳
- 武家の女性　山川菊栄
- インディアスの破壊についての簡潔な報告　ラス・カサス　染田秀藤訳
- ラス・カサス インディアス史 全七冊　長南実訳　石原保徳編

- インディアスの破壊をめぐる賠償義務論 —十二の疑問に答える　ラス・カサス　染田秀藤訳
- コロンブス 全航海の報告　林屋永吉訳
- 大森貝塚 —付 関連史料　E・S・モース　近藤義郎・佐原真編訳
- ナポレオン言行録　オクターヴ・オブリ編　大塚幸男訳
- 中世的世界の形成　石母田正
- 日本の古代国家　石母田正
- 平家物語 他六篇　石母田正　髙橋昌明編
- クリオの顔 —歴史随想集　E・H・ノーマン　大窪愿二編訳
- 日本における近代国家の成立　E・H・ノーマン　大窪愿二訳
- 旧事諮問録 —江戸幕府役人の証言 全二冊　旧事諮問会編　進士慶幹校注
- ローマ皇帝伝 全二冊　スエトニウス　国原吉之助訳
- アリランの歌 —ある朝鮮人革命家の生涯　ニム・ウェールズ　キム・サン　松平いを子訳
- さまよえる湖 全二冊　ヘディン　福田宏年訳
- 老松堂日本行録 —朝鮮使節の見た中世日本　宋希環　村井章介校注
- 十八世紀パリ生活誌 —タブロー・ド・パリ 全二冊　メルシエ　原宏編訳
- ヨーロッパ文化と日本文化　ルイス・フロイス　岡田章雄訳注
- ギリシア案内記 全二冊　パウサニアス　馬場恵二訳

- オデュッセウスの世界　フィンリー　下田立行訳
- 東京に暮す —一九二八〜一九三六　キャサリン・サンソム　大久保美春訳
- ミカド —日本の内なる力　W・E・グリフィス　亀井俊介訳
- 増補 幕末百話　篠田鉱造
- 幕末明治 女百話 全二冊　篠田鉱造
- 日本中世の村落　清水三男　大山喬平・馬田綾子校注
- トゥバ紀行　メンヒェン=ヘルフェン　田中克彦訳
- 徳川時代の宗教　R・N・ベラー　池田昭訳
- ある出稼石工の回想　マルタン・ナド　喜安朗訳
- 革命的群衆　G・ルフェーヴル　二宮宏之訳
- 植物巡礼 —プラント・ハンターの回想　F・キングドン-ウォード　塚谷裕一訳
- 日本滞在日記 —一八〇四—一八〇五　レザーノフ　大島幹雄訳
- モンゴルの歴史と文化　ハイシッヒ　田中克彦訳
- 歴史序説 全四冊　イブン=ハルドゥーン　森本公誠訳
- ダンピア 最新世界周航記 全二冊　平野敬一訳
- ローマ建国史 全三冊(既刊上巻)　リーウィウス　鈴木一州訳
- 元治夢物語 —幕末同時代史　馬場文英　徳田武校注

岩波文庫の最新刊

ベティ・フリーダン著／荻野美穂訳
女らしさの神話 (上)(下)
女性の幸せは結婚と家庭にあるとする「女らしさの神話」を批判し、その解体を唱える。二〇世紀フェミニズムの記念碑的著作、初の全訳。〔全二冊〕〔白二三四-一、二〕 **定価(上)一五〇七、(下)一三五三円**

太宰 治作／安藤 宏編
富嶽百景・女生徒 他六篇
昭和一二―一五年発表の八篇。表題作他「華燭」「葉桜と魔笛」等、スランプを克服し〈再生〉へ向かうエネルギーを感じさせる。（注＝斎藤理生、解説＝安藤宏）
〔緑九〇-九〕 **定価九三五円**

ヘルダー著／嶋田洋一郎訳
人類歴史哲学考 (五)
第四部第十八巻―第二十巻を収録。中世ヨーロッパを概観。キリスト教の影響やイスラム世界との関係から公共精神の発展を描く。〔全五冊〕
〔青N六〇八-五〕 **定価一二七六円**

……今月の重版再開……

栗田 靖編
碧梧桐俳句集
定価一二七六円
〔緑一六六-二〕

穂積陳重著
法窓夜話
定価一四三〇円
〔青一四七-一〕

岩波文庫の最新刊

デリダ著／藤本一勇訳

アデュー
—エマニュエル・レヴィナスへ—

レヴィナスから受け継いだ「アーデュー」という言葉。デリダの応答は、その遺産を存在論や政治の彼方にある倫理、歓待の哲学へと導く。

〔青N六〇五-一〕 定価一二一〇円

ヘリオドロス作／下田立行訳

エティオピア物語（上）

ナイル河口の殺戮現場に横たわる、手負いの凜々しい若者と、女神の如き美貌の娘——映画さながらに波瀾万丈、古代ギリシアの恋愛冒険小説巨編。（全二冊）

〔赤一二七-一〕 定価一〇〇一円

永井荷風著／中島国彦・多田蔵人校注

断腸亭日乗（二） 大正十五—昭和三年

永井荷風（一八七九—一九五九）の四十一年間の日記。（二）は、大正十五年より昭和三年まで。大正から昭和の時代の変動を見つめる。（注解・解説＝中島国彦）（全九冊）

〔緑四二-一五〕 定価一一八八円

ゲルツェン著／金子幸彦・長縄光男訳

過去と思索（四）

一八四八年六月、臨時政府がパリ民衆に加えた大弾圧は、ゲルツェンの思想を新しい境位に導いた。専制支配はここにもある。西欧への幻想は消えた。（全七冊）

〔青N六一〇-五〕 定価一六五〇円

……今月の重版再開……

ディオゲネス・ラエルティオス著／加来彰俊訳

ギリシア哲学者列伝（上）（中）（下）

〔青六六三-一～三〕 定価各一二七六円

定価は消費税 10％ 込です　2024. 10